The
LITTLE
BLACK
BOOK
of
5-CHORD
SONGS

Published by
Wise Publications
14-15 Berners Street, London, W1T 3LJ, UK.

Exclusive distributors:
Music Sales Limited
Distribution Centre,
Newmarket Road, Bury St Edmunds, Suffolk, IP33 3YB, UK.
Music Sales Pty Limited
Units 3-4, 17 Willfox Street, Condell Park, NSW 2200, Australia.
Order No. AM1007325
ISBN 978-1-78305-266-0

Edited by Adrian Hopkins.
Music arranged by Matt Cowe.
Music processed by Paul Ewers Music Design.
Printed in the EU.

www.musicsales.com

Wise Publications
part of The Music Sales Group

London/New York/Paris/Sydney/Copenhagen/Berlin/Madrid/Hong Kong/Tokyo

Relative Tuning

The guitar can be tuned with the aid of pitch pipes or dedicated electronic guitar tuners which are available through your local music dealer. If you do not have a tuning device, you can use relative tuning. Estimate the pitch of the 6th string as near as possible to E or at least a comfortable pitch (not too high, as you might break other strings in tuning up). Then, while checking the various positions on the diagram, place a finger from your left hand on the:

5th fret of the E or 6th string and **tune the open A** (or 5th string) to the note (A)

5th fret of the A or 5th string and **tune the open D** (or 4th string) to the note (D)

5th fret of the D or 4th string and **tune the open G** (or 3rd string) to the note (G)

4th fret of the G or 3rd string and **tune the open B** (or 2nd string) to the note (B)

5th fret of the B or 2nd string and **tune the open E** (or 1st string) to the note (E)

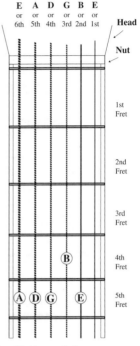

Reading Chord Boxes

Chord boxes are diagrams of the guitar neck viewed head upwards, face on as illustrated. The top horizontal line is the nut, unless a higher fret number is indicated, the others are the frets.

The vertical lines are the strings, starting from E (or 6th) on the left to E (or 1st) on the right.

The black dots indicate where to place your fingers.

Strings marked with an O are played open, not fretted. Strings marked with an X should not be played.

The curved bracket indicates a 'barre' - hold down the strings under the bracket with your first finger, using your other fingers to fret the remaining notes.

N.C. = No Chord.

A Good Heart

Words & Music by Maria McKee

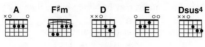

Capo first fret

Intro   ‖: A | A | F#m | F#m :‖

Verse 1
    A   F#m   E   A
I hear a lot of stories, I sup - pose they could be true,
           D   A   E
All about love and what it can do to you.
    A   F#m   E   A
High is the risk of striking out, the risk of get - ting hurt,
      E   D
And still I have so much to learn.

Pre-chorus 1
D   Dsus4 D   A   F#m E A
Well I know   'cause I think about it all the time,
   Dsus4 D   E
I know   that real love is quite a vice.

Chorus 1
        A   E   F#m D
And a good heart these days is hard to find,
 A   D   A   E
True love, the lasting kind.
   A   E   F#m D
A good heart these days is hard to find,
   A   E   D
So please be gentle with this heart of mine.

Verse 2

     A   **F♯m**   **E**   **A**
My expectations may be high, I blame it on my youth,
             D   **A**   **E**
Soon enough I'll learn the painful truth.
     A   **F♯m**   **E**   **A**
I'll face it like a fighter then boast of how I've grown,
      E   **D**
Anything is better than being alone.

Pre-chorus 2

D   **Dsus4** **D**   **A**   **F♯m** **E A**
Well I know   'cause I learn a little every day,
    Dsus4 **D**   **E**
I know   'cause I listen when the experts say that…

Chorus 2

     A   **E**   **F♯m**   **D**
That a good heart these days is hard to find,
A **D**   **A**   **E**
True love, the lasting kind.
    A   **E**   **F♯m**   **D**
A good heart these days is hard to find,
    A   **E**   **D**
So please be gentle with this heart of mine.

Guitar solo | **Dsus4** **D** | **D** | **A** **F♯m** | **E**   **A** |

                | **Dsus4** **D** | **D** | **E** | **E**   ‖

Verse 3

     A   **F♯m**   **E**   **A**
As I reflect on all my childhood dreams,
           D   **A**   **E**
My ideas of love weren't as foolish as they seemed.
A   **F♯m**   **E**   **A**
If I don't start looking now I'll be left behind,
      E   **D**
And a good heart these days,   it's hard to find.

Pre-chorus 3

D   **Dsus4** **D**   **A**   **F♯m** **E A**
Well I know,   it's a dream I'm willing to de - fend,
    Dsus4 **D**   **E**
I know   it will all be worth it in the end.

Chorus 3   As Chorus 1

                        A   E   **F♯m   D**
Chorus 4   And a good heart these days is hard to find,
                  A   D   A   E
                  True love, the lasting kind.
                        A   E   **F♯m   D**
                  A good heart these days is hard to find,
                        A   E   **D   E**   **A**
                  So please be gentle with this heart, with this heart of mine.

                  Dsus⁴   D   Dsus⁴   D   **A**
Outro   A good heart.
                                Dsus⁴   D   Dsus⁴   D
                  ‖: A good heart.
                        A
                  A good heart. :‖   *Repeat to fade*

All Or Nothing

Words & Music by Steve Marriott & Ronnie Lane

Intro   ‖: D   Dsus4 D │ D   Dsus4 D :‖

Verse 1

A   D   Dsus4 D Dsus4 D
I thought you'd listen to my reason,

A   D   Dsus4 D A
But now I see you don't hear a thing.

G   D
Tryin' to make you see,

A
How it's got to be,

            D
Yes if it's all right,

Chorus 1

Dsus4 D
All_____ or nothing,

B
All or nothing,

G
All or nothing for me.

‖: D   Dsus4 D │ D   Dsus4 D :‖

Verse 2

A   D   Dsus4 D Dsus4 D
Things could work out just like I want them to,

A   D   Dsus4 D A
If I could have the other half of you.

G   D
You know I would,

A
If I only could,

            D
Yes it's, yeah,

Chorus 2

Dsus⁴ D
All____ or nothing,

B
All or nothing,

G
All or nothing for me.

‖: **D   Dsus⁴ D** │ **D   Dsus⁴ D** :‖

Verse 3

A
Ba, ba, ba, ba-da,

       D   **Dsus⁴ D Dsus⁴ D**
Ba, ba, ba-da, ba.

A
Ba, ba, ba, ba-da,

      D   **Dsus⁴ D A**
Ba, ba, ba-da, ba.

G   **D**
I ain't telling you no lie, girl,

A   **D**
So don't just sit there and cry girl,

Chorus 3

Dsus⁴ D
All____ or nothing,

B
All or nothing,

G
All or nothing.

        A
Gotta, gotta, gotta keep on trying,

D   **A**
All or nothing,

B
All or nothing,

G
All or nothing,

  A   **D**
For me, for me, for me.

Chorus 4

Dsus⁴ D
All____ or nothing,

B
All or nothing,

G
All or nothing for me.

│ **D   Dsus⁴ D** │ **D   Dsus⁴ D** │ **D   Dsus⁴ D** │ **D** ‖

11

Are You Gonna Be My Girl

Words & Music by Nic Cester & Cameron Muncey

Intro

‖: A | A | A | A |

| A | A | A | A   :‖ *Bass only*

| A | A | A | A |
Go!
| A | A | A | A   ‖ *Guitar*

Verse 1

             A N.C.
Said 1, 2, 3, take my hand and come with me,

Because you look so fine,

                       A
That I really wanna make you mine.

         N.C.
I say you look so fine,

                       A
That I really wanna make you mine.

        N.C.
Oh, 4, 5, 6, c'mon and get your kicks,

Now you don't need money,

                         A
When you look like that, do ya honey?

Bridge 1

D   **C**   **G**
   Big black boots,

D   **C**   **G**
   Long brown hair,

D
   She's so sweet,

C   **G**   **D**
With her   get back stare.

Chorus 1

A
Well I could see,

C
You home with me,

D   **A**
But you were with another man, yeah!

                          C
I know we ain't got   much to say,

D   **A**
Before I let you get a - way, yeah!

| **E** | **E** | **G** | **G** ‖

N.C.
I said, are you gonna be my girl?

Link 1

| **A** | **A** | **A** | **A** |

| **A** | **A** | **A** | **A** ‖

Verse 2

                  A N.C.
Well, it's a 1, 2, 3, take my hand and come with me,

Because you look so fine,

                                    D
That I really wanna make you mine.

            N.C.
I say you look so fine,

                                    D
That I really wanna make you mine.

            N.C.
Oh, 4, 5, 6, c'mon and get your kicks,

Now you don't need money,

                          D
With a face like that, do ya?

Bridge 2   As Bridge 1

Chorus 2   As Chorus 1

Link 2 | **A** | **A** | **A** | **A** |

               | **A** | **A** | **A** | **A** ‖

Guitar solo | **A** | **A** | **C** | **C** | **D** | **D** | **A** | **A** ‖
              Oh yeah.   Oh   yeah.

              | **A** | **A** | **C** | **C** | **D** | **D** | **A** | **A** ‖
              C'mon!

Chorus 3

A
    I could see,
C
    You home with me,
D   **A**
    But you were with another man, yeah!

               C
I know we ain't got   much to say,
D   **A**
    Before I let you get a - way, yeah!

Uh, be my girl.
C
    Be my girl.
D   **A**   **G** **D**
    Are you gonna be my girl,   yeah?

Brown Eyed Girl

Words & Music by Van Morrison

G   C   D   D7   Em

Intro | G | C | G | D |

       | G | C | G | D   ‖

Verse 1

    G   **C**
    Hey, where did we go

    G   **D**
    Days when the rains came?

    G   **C**
    Down in the hollow,

    G   **D**
    Playing a new game.

    G   **C**
    Laughing and a runnin', hey hey,

    G   **D**
    Skipping and a - jumpin'

    G   **C**
    In the misty morning fog with

    G   **D**
    Our, our hearts a - thumpin' and

Chorus 1

    C   **D7**   **G** **Em**
    You,   my brown eyed girl.

    C   **D7**   **G** **D**
    And you, my   brown eyed girl.

Verse 2

G   C
And what ever happened

G   D
To Tuesday and so slow?

G   C
Going down to the old mine

         G   D
With a   transistor radio.

G   C
Standing in the sunlight laughing,

G   D
Hiding behind a rainbow's wall.

G   C
Slipping and a - sliding

G   D
All along the waterfall with

Chorus 2

C   D7   G   Em
You,   my brown eyed girl.

C   D7   G   D7
   You, my   brown eyed girl.

Do you remember when

          G
We used to sing

          C
Sha la la la la la la,

G   D7
La la la la de da.

Just like that

G   C
  Sha la la la la la la,

G   D7
La la la la de da,

      (G)
La de da.

Link | G | G | G | G | G | C | G | D   ‖

Verse 3

G   C
So hard to find my way

G   D
Now that I'm all on my own

G   C
I saw you just the other day

G   D
My how you have grown

G   C
Cast my memory back there, Lord

G   D
Sometimes I'm overcome thinkin' about it

G   C
Makin' love in the green grass

G   D
Behind the stadium with

Chorus 3

C   D7   G   Em
You,   my brown eyed girl

C   D7   G   D7
And you, my   brown eyed girl.

Do you remember when

           G
We used to sing

  G   C
‖: Sha la la la la la la,

G   D7
La la la la de da.
(Lying in the green grass)

G   C
Sha la la la la la la,

G   D7
La la la la de da, :‖ *Repeat ad lib. to fade*

Boulder To Birmingham

Words & Music by Bill Danoff & Emmylou Harris

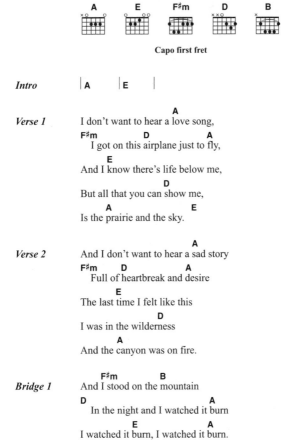

Capo first fret

Intro | A | E |

Verse 1
                  A
I don't want to hear a love song,
F♯m   **D**   **A**
  I got on this airplane just to fly,
          E
And I know there's life below me,
             D
But all that you can show me,
     A   **E**
Is the prairie and the sky.

Verse 2
                  A
And I don't want to hear a sad story
F♯m   **D**   **A**
  Full of heartbreak and desire
     E
The last time I felt like this
           D
I was in the wilderness
     A
And the canyon was on fire.

Bridge 1
      F♯m   **B**
And I stood on the mountain
D   **A**
  In the night and I watched it burn
        E   **A**
I watched it burn, I watched it burn.

Chorus 1

           D   **A**
I would rock my soul in the bosom of Abraham,

           D   **A**
I would hold my life in his saving grace.

           D   **A**
I would walk all   the way from Boulder to Birmingham,

                E   **A**   **E**
If I thought I could see, I could see your face.

Verse 3

                    A
Well you really got me this time,

     F♯m   **D**   **A**
And the hardest part is knowing I'll survive.

      E
I've come to listen for the sound,

                  D
Of the trucks as they move down,

     A
Out on ninety-five.

Bridge 2

     F♯m   **B**
And pretend that it's the ocean,

D   **A**   **E**
  Coming down to wash me clean, to wash me clean.

                A
Baby do you know what I mean?

Chorus 2

           D   **A**
I would rock my soul in the bosom of Abraham,

           D   **A**
I would hold my life in his saving grace.

           D   **A**
I would walk all   the way from Boulder to Birmingham,

                E   **A**
If I thought I could see, I could see your face.

                E   **A**
If I thought I could see, I could see your face.

| **E** | | **Â** | ‖ |

California (from 'The OC')

Words & Music by Al Jolson, Joseph Meyer, Alex Greenwald,
Jason Schwartzman, Buddy De Sylva, Darren Robinson,
Jacques Brautbar & Sam Farrar

Dm   Bb   F   C/F   G

To match original recording, tune guitar down a semitone

Intro | Dm | Dm Bb F | Bb F | Bb F ‖

Verse 1
Dm
We've been on the run

Driving in the sun
              Bb   **F**
Looking out for number one
     Bb   **F**
Cali - fornia here we come
             Bb   **F**
Right back where we started from.

Verse 2
         Dm
Oh, hustlers grab your guns

Your shadow weighs a ton
                    Bb   **F**
Driving down the one - o - one
     Bb   **F**
Cali - fornia here we come
             Bb   **F**
Right back where we started from.

Chorus 1

    B♭   F   B♭
Cali - fornia_____

      C/F   B♭
Here we come.__

Verse 3

Dm
On the stereo listen as we go

         B♭   F
Nothing's gonna stop me now

  B♭   F
Cali - fornia here we come

     B♭   F
Right back where we started from.

Verse 4

   Dm
Oh, pedal to the floor, thinking of the roar

      B♭ F
Gotta get us to the show

  B♭   F
Cali - fornia here we come

     B♭   F
Right back where we started from.

Chorus 2

    B♭   F   B♭
Cali - fornia_____

      C/F   B♭
Here we come.__

     F   B♭
Cali - fornia, Cali - fornia

Here we come_____

  (Dm)
Oh.____

Piano solo | Dm | Dm B♭ F | B♭ F | B♭ |

              | Dm | Dm B♭ F | B♭ F | B♭   ‖

Link | F | B♭ | C/F | B♭   ‖

             F   **G**
Cali - fornia, Cali - fornia

           B♭   **N.C**
Here we come.

            F   **B♭**
Chorus 3   Cali - fornia, Cali - fornia

            C/F   **B♭**
Here we come___

            F   **B♭**
Cali - fornia, Cali - fornia

            C/F   **B♭**
Here we come___

            F   **G**
Cali - fornia, Cali - fornia

           B♭   **Dm**
Here we come___

Danger! High Voltage

Words & Music by Tyler Spencer, Joseph Frezza,
Stephen Nawara, Anthony Selph & Cory Martin

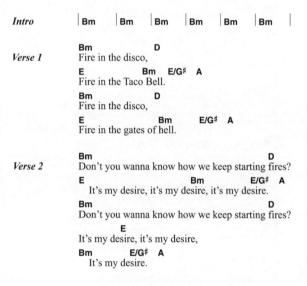

Bm D E E/G♯ A

Intro | Bm | Bm | Bm | Bm | Bm | Bm |

Verse 1

Bm   D
Fire in the disco,

E   Bm E/G♯ A
Fire in the Taco Bell.

Bm   D
Fire in the disco,

E   Bm   E/G♯ A
Fire in the gates of hell.

Verse 2

Bm   D
Don't you wanna know how we keep starting fires?

E   Bm   E/G♯ A
  It's my desire, it's my desire, it's my desire.

Bm   D
Don't you wanna know how we keep starting fires?

     E
It's my desire, it's my desire,

Bm   E/G♯ A
  It's my desire.

Chorus 1
Bm   **D**
Danger, danger!   High voltage,

E   **Bm**   **E/G♯**   **A**
  When we touch,   when we kiss.

Bm   **D**
Danger, danger!   High voltage,

E   **Bm**   **E/G♯**   **A**
  When we touch, when we kiss, when we touch.

Chorus 2
Bm   **D**
Danger, danger!   High voltage,

E   **Bm**   **E/G♯**   **A**
  When we touch,   when we kiss.

Bm   **D**
Danger, danger!   High voltage,

E   **Bm**
  When we touch, when we kiss,

       E/G♯   **A**
When we touch, when we (kiss).

                                 Play 4 times
Guitar Solo   ‖: **Bm** | **D** | **E** | **Bm** **E/G♯** **A** :‖
        kiss.

Verse 3
       Bm   **D**
Well, don't you wanna know how we keep starting fires?

E   **Bm**   **E/G♯**   **A**
  It's my desire,   it's my desire.

Bm   **D**
Don't you wanna know how we keep starting fires?

E   **Bm**   **E/G♯**   **A**
  It's my desire,   it's my desire.

Chorus 3   As Chorus 1

Chorus 4   As Chorus 1

Sax Solo ‖: Bm | D | E | Bm E/G♯ A :‖

Verse 4
Bm
Fire in the disco,
D
Fire in the disco,
E   **Bm E/G♯   A**
Fire in the Taco Bell.
Bm   **D**
Fire in the disco,
D
Fire in the disco,
E   **Bm**   **E/G♯   A**
Fire in the gates of hell.

Outro | Bm | D | E | Bm E/G♯ A |
                    The gates of hell.

          ‖: Bm | D | E | Bm E/G♯ A :‖
                                        Repeat to fade

25

Cast No Shadow

Words & Music by Noel Gallagher

Asus⁴   G   Em   D   C

Intro
‖: **Asus⁴** | **Asus⁴** | **G** | **G** :‖

Verse 1
Asus⁴
Here's a thought for every man

                                         G
Who tries to understand what is in his hands.

     Asus⁴
He walks along the open road of love and life

            G
Surviving if he can.

Em   **D**
Bound with all the weight

          C   **G**
Of all the words he tried to say.

Em   **D**
Chained to all the places

         C   **G**
That he never wished to stay.

Em   **D**
Bound with all the weight

         C   **G**
Of all the words he tried to say.

Em   **D**   **C**
As he faced the sun he cast no shadow.

Chorus 1
G   **Asus⁴**   **C** | **Em** **D** |
As they took his soul they stole his pride,
G   **Asus⁴**   **C** | **Em** **D** |
As they took his soul they stole his pride,
G   **Asus⁴**   **C** | **Em** **D** |
As they took his soul they stole his pride,
Em   **D**   **C** | **C** | **C** | **Asus⁴** ‖
As he faced the sun he cast no shadow.

Verse 2   As Verse 1

Chorus 2
G   **Asus⁴**   **C** | **Em**   **D** |
As they took his soul they stole his pride,
G   **Asus⁴**   **C** | **Em**   **D** |
As they took his soul they stole his pride,
G   **Asus⁴**   **C** | **Em**   **D** |
As they took his soul they stole his pride,
G   **Asus⁴**   **C** | **Em**   **D** |
As they took his soul they took his pride.

Outro
Em   **D**   **C**
As he faced the sun he cast no shadow,
Em   **D**   **C**
As he faced the sun he cast no shadow,
Em   **D**   **C**
As he faced the sun he cast no shadow,
Em   **D**   **C**
As he faced the sun he cast no shadow.

| **C** | **C** | **C** | **G**   ‖

Cathy's Clown

Words & Music by Don Everly

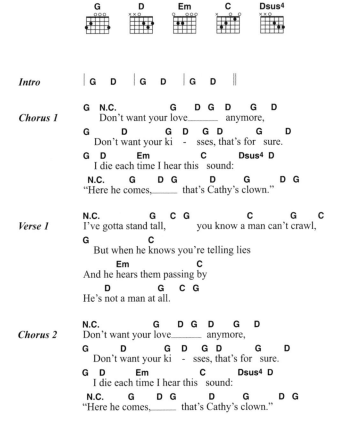

Intro

| G   D | G   D | G   D ||

Chorus 1

G   N.C.   G   D G   D   G   D
   Don't want your love_____ anymore,

G   D   G   D G   D   G   D
   Don't want your ki - sses, that's for sure.

G   D   Em   C   Dsus⁴ D
   I die each time I hear this sound:

N.C.   G   D G   D   G   D G
"Here he comes,_____ that's Cathy's clown."

Verse 1

N.C.   G   C G   C   G   C
I've gotta stand tall,   you know a man can't crawl,

G   C
   But when he knows you're telling lies

    Em   C
And he hears them passing by

   D   G   C G
He's not a man at all.

Chorus 2

N.C.   G   D G D   G   D
Don't want your love_____ anymore,

G   D   G   D G D   G   D
   Don't want your ki - sses, that's for sure.

G   D   Em   C   Dsus⁴ D
   I die each time I hear this sound:

N.C.   G   D G   D   G   D G
"Here he comes,_____ that's Cathy's clown."

Verse 2

N.C.   **G** **C**
When you see me shed a tear

G   **C**   **G**   **C**
  And if you know that it's sincere _____

G   **C**
  Now don't you think it's kinda sad

       Em   **C**
That you're treating me so bad

 D   **G**   **C G**
  Or don't you even care?

Chorus 3

N.C.   **G**   **D G D**   **G** **D**
Don't want your love _____ anymore,

G   **D**   **G D G D**   **G**   **D**
  Don't want your ki - sses, that's for sure.

G D   **Em**   **C**   **Dsus4 D**
  I die each time I hear this sound:

  N.C.   **G**   **D G**   **D**   **G**   **D G**
  "Here he comes, _____ that's Cathy's clown."

Coda

          D   **G**   **D**   **G**
‖: "That's Cathy's clown."   :‖ *Repeat to fade*

Crossroads

Words & Music by Robert Johnson

A	D7	E	D	E7

Intro

| A | A | A | A | D7 | D7 |

| A | A | E | D | A | A ||

Verse 1

    A
I went down to the crossroad,
D   **A**
  Fell down on my knees.
D
Down to the crossroad,
      A
Fell down on my knees.
E7
  Asked the Lord above for mercy,
D7   **A**
  Take me if you please.

Verse 2

    A
I went down to the crossroad,
D   **A**
  Tried to flag a ride.
D
Down to the crossroad,
      A
Tried to flag a ride.
  E7
Nobody seemed to know me,
D7   **A**
Everybody passed me by.

Verse 3
       A
Well, I'm going down to Rosedale,
D   **A**
  Take my rider by my side.
D
Going down to Rosedale,
       A
Take my rider by my side.
      E7
We can still barrel-house, baby,
D7   **A**
  On the riverside.

Solo 1

‖: A	D	A	A	D	D	
A	A	E7	D7	A	A E :‖

Verse 4   As Verse 3

Solo 2

‖: A	A	A	A	D	D	
A	A	E7	D7	A	A E :‖

Play 3 times

Verse 5
      A
You can run, you can run,
D   **A**
  Tell my friend, boy Willie Brown.
D
Run, you can run,
          A
Tell my friend, boy Willie Brown,
     E7
That I'm standing at the crossroad,
  D7 **N.C.**   **A**
Believe I'm sinking down.

The Days Of Pearly Spencer

Words & Music by David McWilliams

Am   Em   C   G   Dm

Intro
| Am | Am | Am | Am ‖

Verse 1

Am
A tenement, a dirty street,

Em
Walked and worn by shoeless feet,

   Am
In silence long and so complete,

      C   **G**
Watched by a shivering sun.

Am
Old eyes in a small child's face,

Em
Watching as the shadows race

      Am
Through walls and cracks and leave no trace,

   C   **G**
And daylight's brightness shuns.

Chorus 1

Dm Em   **Am**
      The days of Pear - ly Spencer,

    Dm Em   **Am**
Ah,____   the race is almost   run.

Verse 2

Am
Nose pressed hard on frosted glass,

Em
Gazing as the swollen mass

Am
On concrete fields where grows no grass,

C   G
Stumbles blindly on.

Am
Iron trees smother the air,

Em
But withering they stand and stare

Am
Through eyes that neither know nor care

C   G
Where the grass is gone.

Chorus 2   As Chorus 1

Verse 3

Am
Pearly, where's your milk white skin,

Em
What's that stubble on your chin?

Am
   It's buried in the rot gut gin,

C   G
You played and lost, not won.

Am
You played a house that can't be beat,

Em
Now, look your head's bowed in defeat.

Am
You walked too far along the street

C   G
Where only rats can run.

Chorus 3

Dm Em   Am
‖:   The days of Pear - ly Spencer,

Dm Em   Am
Ah,____   the race is almost   run. :‖   *Repeat to fade*

The Dolphins

Words & Music by Fred Neil

A	A7	Bm	E	B♭7

Capo first fret

Intro   ‖: A | A | A7 | A7 :‖

Verse 1

A   A7
Sometimes I think about

Bm   E
Saturday's child.

A   A7
And all about the times

Bm   E
When we were running wild.

Chorus 1

           Bm   E   A   A7
I've been a-searchin' for the dolphins in the sea.

Bm   E   A   A7
Ah, but sometimes I wonder, do you ever, ever think of me?

Verse 2

A   A7
Ah, this old world will never change

Bm   E
The way it's been.

A   A7
And all our ways of war

Bm   E
Just can't change it back again.

Chorus 2

           Bm   E   A   A7
I've been a - searchin' for the dolphins in the sea.

Bm   E   A   A7
Ah, but sometimes I wonder, do you ever, ever think of me?

34

Verse 3

A   A⁷
 Lord, I'm not the one to tell

Bm   E
 This old world how to get along.

A   A⁷
 I only know that peace will come

Bm   E
 When all our hate is gone.

Chorus 3

     Bm E   A A⁷
 I've been a-searchin' for the dolphins in the sea.

Bm   E   A A⁷
 Ah, but sometimes I wonder, do you ever, ever think of me?

Outro

A   A⁷
 Ah, this old world will never change,

A   A⁷
 This old world will never change,

A
 This old world

A⁷   B♭7   A
 Will never change, never change.

Everyday Is Like Sunday

Words & Music by Morrissey & Stephen Street

C   C7   F   G   Am

Intro   ‖: C | C7 :‖ *Play 4 times*

Verse 1

      C   F
     Trudging slowly over wet sand

             C   F
Back to the bench where your clothes were sto - len,

                 G
This is the coastal town

           C   F
That they for - got to close down,

              Am
Armageddon - come Armageddon!

               F
Come, Armageddon! Come!

Chorus 1

     C   G   F
     Every - day is like Sunday,

     C   G   F
Everyday is silent and grey.

Verse 2

     C
     Hide on the promenade,

      F
Etch a postcard:

        C   F
"How I Dearly Wish I Was Not Here."

             G
In the seaside town

   C   F
    That they forgot to bomb,

         Am   F
Come, come, come - nuclear bomb.

Chorus 2

C   G   F
Every - day is like Sunday,
C   G   F
Everyday is silent and grey.

Bridge

      Am   C
Trudging back over pebbles and sand,
      Am   G
And a strange dust lands on your hands,
      F
And on your face,
      G
On your face,
      F
On your face,
      G
On your face.

Chorus 3

C   G   F
Every - day is like Sunday,
C   G   F
"Win Your - self A Cheap Tray",
C   G   F
Share some grease-tea with me,
C   G   F
Everyday is silent and grey.

Outro   ‖: C | G | F | F   :‖   *Play 3 times to fade*

Farewell To The Gold

Words & Music by Paul Metsers

F5   C/E   G11   B♭add9/F   C5

6 = C   3 = F
5 = F   2 = A
4 = C   1 = C

Intro | F5 | C/E | G11 | C/E |

           | B♭add9/F | C/E | F5 | C/E |

           | B♭add9/F | C/E | F5 | F5   ‖

                F5   C5   G11   C/E
Verse 1   Shotover river,   your gold it's waning,
                B♭add9/F   C/E   F5   C/E
            And it's years since the colour I've seen.____
                F5   C/E   G11   C/E
            But it's no use just sitting   and Lady Luck blaming,
                B♭add9/F   C5   F5
            I'll pack up,   then I'll make the break clean.

                C/E   F5   C/E
Chorus 1   Farewell to the gold that never I found,
                            F5   C/E
            Goodbye to the nuggets that somewhere a - bound.
                    F5   B♭add9/F   F5   C/E
            For it's only when dreaming that I see you gleaming
                    B♭add9/F   C/E   F5
            Down in the dark, deep under - ground.

Verse 2

F5   C5   Bbadd9/F   C/E
It's nearly two years   since I left my old mother

Bbadd9/F   C/E   F5   C/E
For adventure and gold by the pound.____

F5   C/E   Bbadd9/F   C/E
And with Jimmy the prospector, he was an - other,

Bbadd9/F   C5   F5
And to the the hills of Otago   we were bound.

Chorus 2   As Chorus 1

Link 1 | Bbadd9/F | C/E | F5 | F5   ‖

Verse 3

F5   C5   G11   C/E
Well, we worked the Car - drona's dry valley all over,

Bbadd9/F   C/E   F5 C/E
Old Jimmy Williams and me.____

F5   C/E   G11   C/E
They were panning good dirt   on the winding Shotover,

Bbadd9/F   C5   F5
So we headed down there just to see.

Chorus 3   As Chorus 1

Link 2 | Bbadd9/F | C/E | F5 | C/E ‖

Verse 4

F5   C5   G11   C/E
Well, we sluiced and we cradled   for day after day,

Bbadd9/F   C/E   F5 C/E
Making hardly e - nough to get by.____

F5   C/E G11   C/E
Then a terrible flood   swept poor Jimmy away,

Bbadd9/F   C5   F5
During six stormy days in July.

Chorus 4

C/E   F5   C/E
Farewell to the gold that never I found,

                   F5   C/E
Goodbye to the nuggets that somewhere a - bound.

       F5   Bᵇadd9/F   F5   C/E
For it's only when dreaming that I see you gleaming

       Bᵇadd9/F   C/E   F5
Down in the dark, deep under - ground.

Outro

F5	C/E	Bᵇadd9/F	C/E
F5	C/E	Bᵇadd9/F	C/E
F5	C/E	G11	C/E
Bᵇadd9/F	C/E	F5

Fight Test

Words & Music by Cat Stevens, Wayne Coyne, Steven Drozd,
Michael Ivans & David Fridmann

A   C♯m   D   E   F♯m

Intro   (The test begins. Now.)

| A | C♯m | D | E | A | |
| F♯m | E | E | E | E | |

Verse 1

            A   **C♯m**
I thought I was smart, I thought I was right,
      D   **E**
I thought it better not to fight,
                A   **F♯m**   **E**
I thought there was a virtue in always being cool.
      A   **C♯m**
So then came time to fight,
        D   **E**
I thought I'll just step a - side,
            A   **F♯m**
And that the time would prove you wrong,
        E   **A**
And that you would be the fool.

Chorus 1

       A   **C♯m**
I don't know where the sunbeams end
       D   **E**
And the star lights be - gin,
       A   **F♯m** **E**
It's all a mystery.

Verse 2

       A   **C♯m**
Oh, to fight is to de - fend,
       D
If it's not now then tell me,
E   **A**   **F♯m**   **E**
When would be the time that you would stand up and be a man.

cont.

    A   **F♯m**
For to lose I could ac - cept,

         D   **E**
But to sur - render I just wept,

           A   **F♯m**
And regretted this moment

  E
Oh, that I,

Chorus 2

    A   **C♯m**
I don't know where the sunbeams end

   D   **E**
And the star lights be - gin,

  A   **F♯m** **E**
It's all a mystery.

      A   **C♯m**
And I don't know how a man decides,

    D   **E**
What's right for his own life,

  A   **F♯m** **E**
It's all a mystery.

Verse 3

      A   **C♯m**
'Cause I'm a man, not a boy,

        D   **E**
And there are things you can't a - void,

     A
You have to face them,

       F♯m   **E**
When you're not prepared to face them.

  A   **C♯m**
If I could I would,

      D
But you're with him now,

  E
It'd do no good,

    A
I should have fought him,

  F♯m   **E**
But in - stead I let him,

  A
I let him take you.

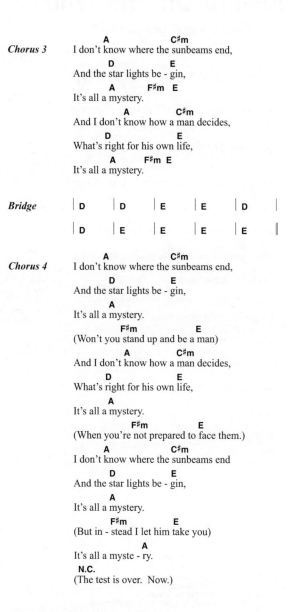

Chorus 3

       A   **C#m**
I don't know where the sunbeams end,

      D   **E**
And the star lights be - gin,

       A   **F#m E**
It's all a mystery.

        A   **C#m**
And I don't know how a man decides,

      D   **E**
What's right for his own life,

       A   **F#m E**
It's all a mystery.

Bridge | **D** | **D** | **E** | **E** | **D** |

               | **D** | **E** | **E** | **E** | **E**   ‖

Chorus 4

       A   **C#m**
I don't know where the sunbeams end,

      D   **E**
And the star lights be - gin,

      A
It's all a mystery.

      F#m   **E**
(Won't you stand up and be a man)

        A   **C#m**
And I don't know how a man decides,

      D   **E**
What's right for his own life,

      A
It's all a mystery.

      F#m   **E**
(When you're not prepared to face them.)

      A   **C#m**
I don't know where the sunbeams end

      D   **E**
And the star lights be - gin,

      A
It's all a mystery.

      F#m   **E**
(But in - stead I let him take you)

      A
It's all a myste - ry.

   N.C.
(The test is over. Now.)

Flowers On The Wall

Words & Music by Lewis C. DeWitt

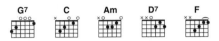

To match original recording, tune guitar down one semitone

Intro | G7 | G7   ‖

Verse 1
     C   Am
I keep hearin' you're concerned a - bout my happiness,
   D7   G7
But all that thought you've given me is   conscience, I guess.
     C   Am
If I were walkin' in your shoes, I wouldn't worry none,
       D7
While you and your friends are worryin' 'bout me,
     G7
I'm havin' lots of fun.

Chorus 1
             Am
Countin' flowers on the wall,

That don't bother me at all.

Playin' solitaire 'til dawn,

With a deck of fifty-one.
             F
Smokin' cigarettes and watchin' 'Captain Kangaroo',
           G7
Now don't tell me,
N.C.
   I've nothin' to do.

Verse 2
      C   Am

C   Am
Last night I dressed in tails, pretended I was on the town,

D7   G7
As long as I can dream it's hard to slow this swinger down.

C   Am
So please don't give a thought to me, I'm really doin' fine,

D7   G7
You can always find me here and havin' quite a time.

Chorus 2   As Chorus 1

Verse 3
      C   Am
It's good to see you, I must go, I know I look a fright,

D7   G7
Anyway, my eyes are not accustomed to this light,

C   Am
And my shoes are not accustomed to this hard concrete,

D7   G7
So I must go back to my room and make my day complete.

Chorus 3
         Am
Countin' flowers on the wall,

That don't bother me at all.

Playin' solitaire 'til dawn,

With a deck of fifty-one.

        F
Smokin' cigarettes and watchin' 'Captain Kangaroo',

        G7
Now don't tell me,

N.C.
   I've nothin' to do.

        G7
Don't tell me,

N.C.
   I've nothin' to do.

| G7 | G7 | C | C | ‖

Girl From Mars

Words & Music by Tim Wheeler

A   E   Dmaj⁷   Bm   D

Chorus 1

    A   E   Dmaj⁷
Do you remember the time I knew a girl from Mars?

    Bm
I don't know if you knew that.

A   E
Oh, we'd stay up late playing cards,

        Dmaj⁷
Henry Winterman cigars,

    Bm   D
And she never told me her name,

  E   A
I still love you the girl from Mars.

Verse 1

    D E   D   Bm
Sitting in a dreamy daze by the water's edge,

D   E   A
On a cool summer night.

    D E   D   Bm
Fireflies and stars in the sky, (Gentle glowing light,)

D   E A
From your cigarette.

     E   D   Bm
The breeze blowing softly on my face

  D   E   A
Reminds me of something else.

      E   D   Bm
Something that in my mem'ry has been misplaced

D   E   Bm
Suddenly all comes back.

D   B   A
And as I look to the stars,

Chorus 2

                 E   D
I remember the time I knew a girl from Mars

          Bm
I don't know if you knew that.

A   E
Oh, we'd stay up late playing cards,

               D
Henry Winterman cigars,

        Bm   D
And she never told me her name,

      E   A
I still love you the girl from Mars.

Verse 2

                     D E   D   Bm
Surging through the darkness (over the moon-lit strand),

         D   E   A
Electricity in the air.

              D E   D   Bm
Twisting all   through the night on the terrace,

D   E   A
Now that summer is here.

         D E   D   Bm
I know that you are almost in love with me,

         D   E   A
I can see it in your eyes.

               E   D   Bm
Strange lights shimmering under the sea tonight,

        D   E   Bm
And it almost blows my mind.

D   E   A
And as I look to the stars,

Chorus 3   As Chorus 2

Solo ‖: A   D │ E   │ D   Bm │ Bm   :‖ *Play 4 times*

Verse 3

      A   E   Dmaj⁷   Bm
Today I sleep in the chair by the window,

    D   E   A
It felt as if you'd returned.

            E   Dmaj⁷   Bm
I thought that you were standing over me,

      D   E   Bm
When I woke there was no-one there.

      D   E   A
I still love you girl   from Mars,

Chorus 4

(A)   E   D
Do you remember the time I knew a girl from Mars?

         Bm
I don't know if you knew that.

A   E
Oh, we'd stay up late playing cards,

                  D
Henry Winterman cigars,

        Bm   A
And she never told me her name.

Chorus 5

(A)   E   D
Do you remember the time I knew a girl from Mars?

         Bm
I don't know if you knew that.

A   E
Oh, we'd stay up late playing cards,

                  D
Henry Winterman cigars,

        Bm   D
And I'll still dream of you,

      E   A
I still love you girl from Mars.

Graham Greene

Words & Music by John Cale

Intro | G C | G C | G C | G C ‖

Verse 1
(C)   G   C   G
You're having tea with Graham Greene

                   D
In a coloured costume of your choice.

          G   C   G
And you'll be thought in high e - steem

      A   D
If you're seen in be - tween.

C   G
Stiffly holding um - brellas,

        C   G
Catching the fellows making the toast.

      C   G
To the civil servant Car - ruthers

       A   D
Making the others worser than most.

Verse 2
(D)   G   C   G
You're making small talk now with the Queen

                 D
And the elegant ladies in waiting.

      G   C   G
You're very nervous, they can all tell

     A   D
Pretty well, they can tell.

cont.

```
         C                        G
So save yourself for the hounds of hell,
         C                        G
They can have you all to them - selves.
         C                    G
Since the fashion now is to give away
           A                    D
All the things that you love so well.
```

Chorus 1

```
       G        D/F♯   C             D
Oh, welcome back to Chipping and Sodbury,
G             D/F♯   C        D
   You can have a second chance.
G             D/F♯     C        D
   It must all be like second nature,
C                                      (G)
Cutting down the people where they stand.
```

Link 1

```
| G  C  | G  C  | G  C  | G  C  |

| G  C  | G  C  ‖
```

Verse 3

```
(C)          G     C   G
According to the latest score,
                       D
Mr. Enoch Powell is a falling star.
         G           C      G
So in the future please   bear in mind,
           A              D
Don't see clear, don't see far.
             C                 G
When the average social di - rector
             C                       G
Mistakes a passenger for the con - ductor.
         C                    G
It's so shocking to see the old   Church of E
           A              D
Looking down on you and me.
```

Chorus 2

       G   D/F♯   C   D
So, welcome back to Chipping and Sodbury,

G   D/F♯   C   D
  You can have an - other chance.

G   D/F♯   C   D
  It must all be like second nature,

C   (G)
Chopping down the people where they stand.

Link 2 | G C | G C | G C | G C ||

Outro ||: G C | G C | G C | G C :| *Repeat to fade*
       Ah._____

Girls And Boys

Music by Damon Albarn, Graham Coxon, Alex James & David Rowntree

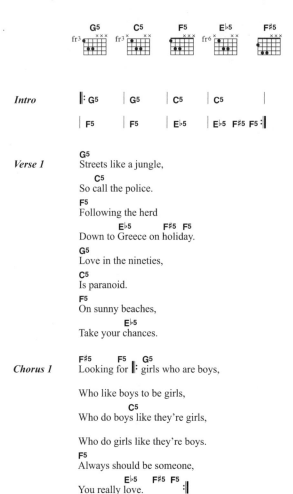

Intro

‖: G5 | G5 | C5 | C5 |

| F5 | F5 | E♭5 | E♭5 F♯5 F5 :‖

Verse 1

G5
Streets like a jungle,

C5
So call the police.

F5
Following the herd

E♭5   F♯5 F5
Down to Greece on holiday.

G5
Love in the nineties,

C5
Is paranoid.

F5
On sunny beaches,

E♭5
Take your chances.

Chorus 1

F♯5   F5   G5
Looking for ‖: girls who are boys,

Who like boys to be girls,

C5
Who do boys like they're girls,

Who do girls like they're boys.

F5
Always should be someone,

E♭5   F♯5 F5
You really love.   :‖

Verse 2

G5

Avoiding all work

C5

'Cause there's none available.

F5

Like battery thinkers

E♭5   F#5 F5

Count their thoughts on 1, 2, 3, 4, 5 fingers.

G5

Nothing is wasted,

C5

Only reproduced,

F5

You get nasty blisters.

E♭5

Du bist sehr schön

F#5 F

But we haven't been introduced.

Chorus 2

‖: G5

Girls who are boys who like boys

C5

To be girls who do boys

Like they're girls who do girls

Like they're boys.

F5

Always should be someone

E♭5   F#5 F5

You really love.   :‖

Instrumental ‖: G5 | G5 | C5 | C5 |

| F5 | F5 | E♭5 | E♭5 F#5 F5 :‖

Chorus 3   As Chorus 2

Repeat to fade

Hallelujah

Words & Music by Leonard Cohen

C   G   Am   F   E

Intro | C   G ||

Verse 1
        C   Am
Now I've heard there was a secret chord
      C   Am
That David played, and it pleased the Lord
      F   G   C   G
But you don't really care for music, do you?
      C   F   G
It goes like this: the fourth, the fifth,
      Am   F
The minor fall, the major lift,
      G   E   Am
The baffled king composing Hallelujah.

Chorus 1
      F   Am   F
Hallelujah, Hallelujah, Hallelujah,
      C G C   G
Hallelu - jah.

Verse 2
      C   Am
Your faith was strong but you needed proof,
      C   Am
You saw her bathing on the roof:
      F   G   C   G
Her beauty and the moonlight overthrew you.
      C   F   G
She tied you to a kitchen chair,
      Am   F
She broke your throne, and she cut your hair
      G   E   Am
And from your lips she drew the Hallelujah.

                    F   Am   F
Chorus 2   Hallelujah, Hallelujah, Hallelujah,
                        C G C   G
                Hallelu - jah.

                        C   Am
Verse 3   You say I took the name in vain,
                C   Am
                I don't even know the name,
                        F   G   C   G
                But if I did, well really, what's it to you?
                            C   F   G
                There's a blaze of light in every word,
                    Am   F
                It doesn't matter which you heard:
                    G   E   Am
                The holy or the broken Hallelujah.

                    F   Am   F
Chorus 3   Hallelujah, Hallelujah, Hallelujah,
                        C G C   G
                Hallelu - jah.

                    C   Am
Verse 4   I did my best, it wasn't much,
                    C   Am
                I couldn't feel, so I tried to touch.
                    F   G   C   G
                I've told the truth, I didn't come to fool you
                    C   F   G
                And even though it all went wrong
                    Am   F
                I'll stand before the Lord of Song
                    G   E   Am
                With nothing on my tongue   but Hallelujah.

                    F   Am   F
Chorus 4   ‖: Hallelujah, Hallelujah, Hallelujah,
                    C G
                Hallelu - jah.   :‖   *Repeat to fade*

Hard To Handle

Words & Music by Otis Redding, Alvertis Isbell & Allen Jones

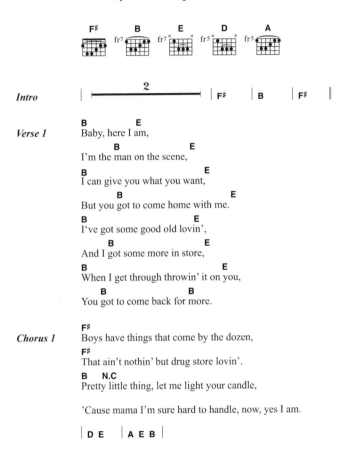

F#   B   E   D   A
fr7   fr7 fr5 fr5

Intro | ————— 2 ————— | F# | B | F# ‖

Verse 1
B   E
Baby, here I am,
            B   E
I'm the man on the scene,
B   E
I can give you what you want,
                B   E
But you got to come home with me.
B   E
I've got some good old lovin',
            B   E
And I got some more in store,
B   E
When I get through throwin' it on you,
            B   B
You got to come back for more.

Chorus 1
F#
Boys have things that come by the dozen,
F#
That ain't nothin' but drug store lovin'.
B   N.C
Pretty little thing, let me light your candle,

'Cause mama I'm sure hard to handle, now, yes I am.

| D E | A E B |

Verse 2

```
B                                    E
Actions speaks louder than words,
        B                        E
And I'm a man of great experience,
B                           E
I know you got another man,
        B                            E
But I can love you better than him.
B                       E
Take my hand, don't be afraid,
          B                      E
I'm gonna prove every word I say.
B                       E
I'm advertisin' love for free,
              B
So, you can place your ad with me.
```

Chorus 2

```
F#
Boys that come along a dime by the dozen,
F#
That ain't nothin' but ten cent lovin'.
B     N.C
Pretty little thing, let me light your candle,

'Cause mama I'm sure hard to handle, now, yes I am.
A E B
   Yeah,
A E B
   Hard to handle, now,
A E B
   Oh, baby.
A E B
```

Verse 3

B   **E**
Baby, here I am,

   B   **E**
The man on your scene,

B   **E**
I can give you what you want,

     B   **E**
But you got to come home with me.

B   **E**
I've-a got some good old lovin',

    B   **E**
And I got some more in store.

B   **E**
When I get through throwin' it on you,

     B
You got to come runnin' back for more.

Chorus 3

F♯
Boys'll run along a dime by the dozen,

F♯
That ain't nothin' but drug store lovin'.

B   **N.C**
Pretty little thing, let me light your candle,

'Cause mama I'm sure hard to handle, now, yes I am.

A E B
  Hard,

A E B
  Hard to handle, now,

A E B
  Oh yeah,

A D B
Yeah, yeah.

Play 8 times

Instrumental ‖: B   :‖

F#
Boys that run along, a dime by the dozen.
F#
That ain't nothin' but ten cent lovin'.
B5 N.C
Pretty little babe, let me light your candle,

'Cause mama I'm sure hard to handle, now, yes I am.
A E B
    Yeah,
A E B
    So hard to,
A   E   B
Handle, now,
   A E B
Oh yeah.

B   B
Baby, good lovin',
B B   B
Baby, baby, owww, good lovin',
        B B
I need good lovin',
       B   A E B
I got to have, oh yeah,
A E B
Yeah,
       A   E B
So hard to handle, now, yeah,
A E B
   Mm-mm-mm.

Heartattack And Vine

Words & Music by Tom Waits

Am7   D5   Dm/F   A7sus4   G

⑥ = D   ③ = G
⑤ = A   ② = B
④ = D   ① = E

Intro | Am7   ‖

‖: D5 Dm/F | D5 Dm/F | D5 Dm/F | A7sus4 |

| D5 Dm/F G | D5 | Am7   :‖

Verse 1
D5   Dm/F   D5   Dm/F
Liar, liar with your pants on fire,
D5   Dm/F   A7sus4
White spades hanging on the telephone wire.
D5   Dm/F   G
Gamblers re - evaluate a - long the dotted line,
        D5   Am7
You'll never recognize yourself on Heartattack and Vine.

Verse 2
D5   Dm/F   D5   Dm/F
Doctor, lawyer, beggar man, thief,
D5   Dm/F   A7sus4
Philly Joe Remarkable looks   on in disbelief.
        D5   Dm/F   G
If you want a taste of madness,   you have to wait in line,
        D5   Am7
You'll probably see someone you know on Heartattack and Vine.

Verse 3
D5   Dm/F   D5   Dm/F
Boney's high on china white, Shorty found a punk,
        D5   Dm/F
Don't you know there ain't no devil,

cont.

                A7sus4
There's just God when he's drunk,

            D5   **Dm/F**
Well this stuff will probably kill you,

        G
Let's do another line,

  D5   **Am7**
What you say you meet me down on Heartattack and Vine.

Instrumental | D5 Dm/F | D5 Dm/F | D5 Dm/F | A7sus4 |

              | D5 Dm/F | G | D5 | Am7 ‖

              D5   **Dm/F**   **D5**   **Dm/F**
Verse 4   See that little Jersey girl in the see through top,

                D5   **Dm/F**   **A7sus4**
With the pedal pushers sucking on a soda pop,

         D5   **Dm/F**
Well I bet she's still a virgin,

         G
It's only twenty-five to nine,

  D5   **Am7**
You can see a million of 'em on Heartattack and Vine.

              D5   **Dm/F**   **D5**   **Dm/F**
Verse 5   Better off in Iowa a - gainst your scram - bled eggs,

            D5   **Dm/F**   **A7sus4**
Than crawling down Ca - huenga on a broken pair of legs.

                    D5   **Dm/F**   **G**
You'll find your ignorance is blissful every goddamn time,

             D5   **Am7**
You're waiting for the R.T.D. on Heartattack and Vine.

Verse 6   As Verse 3

Verse 7   As Verse 1

Verse 8   As Verse 2

Verse 9   As Verse 4

Verse 10   As Verse 3   *To fade*

Honky Cat

Words & Music by Elton John & Bernie Taupin

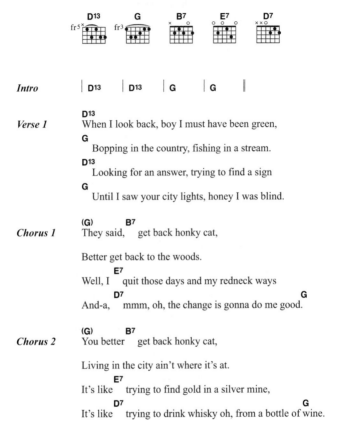

Intro | D13 | D13 | G | G |

Verse 1

D13
When I look back, boy I must have been green,
G
Bopping in the country, fishing in a stream.
D13
Looking for an answer, trying to find a sign
G
Until I saw your city lights, honey I was blind.

Chorus 1

(G)   B7
They said,   get back honky cat,

Better get back to the woods.

E7
Well, I   quit those days and my redneck ways
D7   G
And-a,   mmm, oh, the change is gonna do me good.

Chorus 2

(G)   B7
You better   get back honky cat,

Living in the city ain't where it's at.

E7
It's like   trying to find gold in a silver mine,
D7   G
It's like   trying to drink whisky oh, from a bottle of wine.

Verse 2
  (G)   **D13**
Well I   read some books and I read some magazines
          G
About those high-class ladies down in New Orleans.
       D13
And all the   folks back home well, said I was a fool,
       G
They said,   oh, believe in the Lord is the golden rule.

Chorus 3   As Chorus 1

Instrumental ‖: **D13** | **D13** | **G** | **G** :‖

Chorus 4   As Chorus 1

Verse 3
  (G)   **D13**
They said   stay at home boy, you gotta tend the farm.
G
  Living in the city boy, is going to break your heart.
        D13
But how   can you stay when your heart says no,
G
  How can you stop when your feet say go.

Chorus 5   As Chorus 1

Chorus 6   As Chorus 2

Outro
D13   **G**
  Get back honky cat, get back honky cat, get back, whoo.
D13   **G**
  Get back honky cat, get back honky cat, get back, whoo.

  ‖: **D13** | **D13** | **G** | **G** :‖   *Repeat ad lib. to fade*

I Can't Stop Loving You

Words & Music by Don Gibson

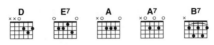

Capo second fret

Intro | D | E7 | A D | A ‖

Verse 1

      D
I can't stop loving you,
          A
So I've made up my mind
    E7
To live in memories
           A   **A7**
Of ol' lonesome times.
      D
I can't stop wanting you,
     A
It's useless to say,
   E7
So I'll just live my life
       A   **D A**
In dreams of yesterday.

I Saw Her Standing There

Bridge

          A   A7
Those happy hours,

        D
That we once knew,

         A
Though long a - go,

        B7   E7
Still make me blue.

        A   A7
They say that time

        D
Heals a broken heart,

         A
But time has stood still,

      E7   A D A
Since we've been a - part.

Verse 2

        D
I can't stop loving you,

         A
So I've made up my mind

       E7
To live in memories

        A   A7
Of ol' lonesome times.

        D
I can't stop wanting you,

        A
It's useless to say,

       E7
So I'll just live my life,

        A D A E7 A
In dreams of yesterday.

I Saw Her Standing There

Words & Music by John Lennon & Paul McCartney

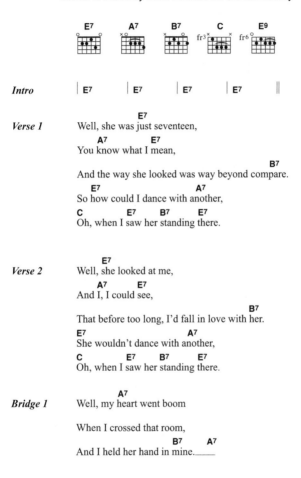

Intro | E7 | E7 | E7 | E7 ‖

Verse 1

           E7
Well, she was just seventeen,

  A7   E7
You know what I mean,

                                      B7
And the way she looked was way beyond compare.

  E7   A7
So how could I dance with another,

C   E7   B7   E7
Oh, when I saw her standing there.

Verse 2

          E7
Well, she looked at me,

  A7   E7
And I, I could see,

                              B7
That before too long, I'd fall in love with her.

E7   A7
She wouldn't dance with another,

C   E7   B7   E7
Oh, when I saw her standing there.

Bridge 1

        A7
Well, my heart went boom

When I crossed that room,

                    B7   A7
And I held her hand in mine.____

Verse 3

    E7
Well, we danced through the night,

    A7   E7
And we held each other tight,

                      B7
And before too long I fell in love with her.

    E7   A7
Now I'll never dance with another,

    C   E7   B7   E7
Oh, when I saw her standing there.

Solo

| E7 | E7 | E7 | E7 | E7 | E7 |

| B7 | B7 | E7 | E7 | A7 | A7 |

| E7 | B7 | E7 | E7 ‖

Bridge 2

    A7
Well, my heart went boom

When I crossed that room,

                B7   A7
And I held her hand in mine.____

Verse 4

    E7
Oh, we danced through the night,

    A7   E7
And we held each other tight,

                      B7
And before too long I fell in love with her.

    E7   A7
Now I'll never dance with another,

    C   E7   B7   E7
Oh, since I saw her standing there,

                B7   E7
Oh, since I saw her standing there,

                    B7   A7   E7   E9
Yeah, well since I saw her standing there.

If It's In You

Words & Music by Syd Barrett

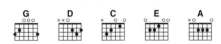

Verse 1

G   D
Yes, I'm thinking of this, yes I am,

                                       G
Puddletown Tom was the underground.

                       D
Hold you tighter so close, yes you are,

                     G
Please hold on to the steel rail.

Chorus 1

C   G
Colonel with gloves draughts leeches
C   D   G
   He isn't loved on Sun - day's Mail.
C
All the fives grok Henrietta,
D
   She's a mean go-getter, got to write her a letter.

Verse 2

D   G   D
Did I wink, did I wink - ing of this, I am,

                                G
Yum, yummy, yam, doh, yummy, yam, yuom, yum.

                     D
Yes, I'm thinking of this, in steam

                   G
Skeleton kissed to the steel rail.

Chorus 2

C   G
   Fleas in Pamela, gloves draughts leeches,
C   D   G
   Chugging along with a funnel of steam.
       C
All the fives grok Henrietta,
               D   E A
She's mean go-getter, got to write her a letter.

I'm Yours

Words & Music by Jason Mraz

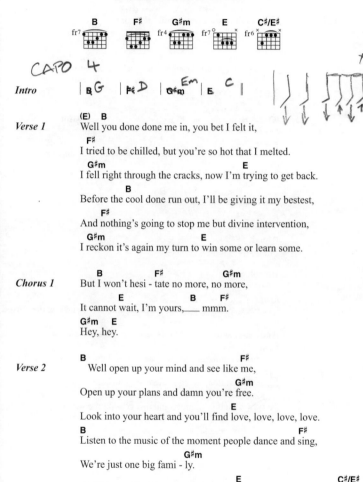

B   **F♯**   **G♯m**   **E**   **C♯/E♯**

CAPO 4

Intro | B G | F♯ D | G♯m Em | E C ‖

Verse 1
    (E) B
Well you done done me in, you bet I felt it,
    F♯
I tried to be chilled, but you're so hot that I melted.
G♯m   **E**
I fell right through the cracks, now I'm trying to get back.
        B
Before the cool done run out, I'll be giving it my bestest,
     F♯
And nothing's going to stop me but divine intervention,
G♯m   **E**
I reckon it's again my turn to win some or learn some.

Chorus 1
       B   **F♯**   **G♯m**
But I won't hesi - tate no more, no more,
         E   **B**   **F♯**
It cannot wait, I'm yours,____ mmm.
G♯m **E**
Hey, hey.

Verse 2
  B   **F♯**
  Well open up your mind and see like me,
                       G♯m
Open up your plans and damn you're free.
                     E
Look into your heart and you'll find love, love, love, love.
B   **F♯**
Listen to the music of the moment people dance and sing,
         G♯m
We're just one big fami - ly.
                     E   **C♯/E♯**
And it's our God-forsaken right to be loved, love, love, loved, loved.

Chorus 2

      B   F♯   G♯m
So I won't hesi - tate no more, no more,

       E
It cannot wait I'm sure.

          B   F♯   G♯m
There's no need to compli - cate, our time is short,

       E
This is our fate, I'm yours.

Bridge

    (E)   B   F♯   G♯m
Do ya, do, do, do you,   but do ya, do ya do, do,

                        F♯   E
But do you want to come and   scooch on over clos - er dear,

               C♯/E♯
And I will nibble your ear.

                  B
Soo dee wah wah boom ba bom.

       F♯
Whoa,_____

G♯m   F♯   E
  Whoa oh, oh, oh, oh.____

          C♯/E♯
Uh huh, mmm.

Verse 3

   (C♯/E♯)   B
I've been spending way too long checking my tongue in the mirror,

      F♯
And bending over backwards just to try to see it clearer,

G♯m   E
But my breath fogged up the glass and so I drew a new face and I laugh

 B
I guess what I be saying is there ain't no better reason,

  F♯
To rid yourself of vanities and just go with the seasons,

    G♯m   E
It's what we aim to do, our name is our virtue.

Chorus 3

      B   F♯   G♯m

But I won't hesi - tate no more, no more,

      E

It cannot wait I'm yours.

Verse 4

      B   F♯

  Well, open up your mind and see like me,

               G♯m

Open up your plans and damn you're free,

                  E

Look into your heart and you'll find that   the sky is yours.

   B

So please don't, please don't, please don't,

      F♯   G♯m

There's no need to complicate, 'cause our time is short,

          E   C♯/E♯

This, oh this, oh this is our fate, I'm yours._____

Outro   ‖: B | F♯ | G♯m | E :‖ *Ad lib. scat vocals to fade*

(I'm Not Your) Steppin' Stone

Words & Music by Tommy Boyce & Bobby Hart

E7	G	A	C	E

Intro |: E7 G | A C :|

Chorus 1
E7 G A   C   E7   G A C
I - 'm not your steppin' stone,
E7 G A   C   E7   G A C
I - 'm not your steppin' stone.

Verse 1
         E7   G   A C
You're tryin' to make your mark in soc - iety
        E7   G   A   C
You're using all the tricks that you used on me,
        E7   G   A   C
You're readin' all them hard fashion magaz - ine,
     E7   G   A   C
The clothes you're wearin' girl are causing public scenes,

I said-a,

Chorus 2   As Chorus 1

Bridge 1
| E G A G |
E G   A   G E   G A G
  Not your steppin' stone,
E G   A   G E   G A G
  Not your steppin' stone.

| E G A G ||

Link |: E7 G | A C :|

72

Verse 2

	E⁷	G	A	C

      E⁷   G   A   C
When I first met you girl, you didn't have no shoes,
      E⁷   G   A   C
But now you're walkin' round like you're front page news.
E⁷   G   A   C
You've been awful careful 'bout the friends you choose,
      E⁷   G   A   C
But you won't find my name in your book of Who's Who.

I said-a,

Chorus 3   As Chorus 2

Bridge 2 | E G A G |
E G   A   G E   G A G
  Not your steppin' stone,
E G   A   G E   G A G
  Not your steppin' stone,

  | E G A G |
                      Not your steppin'
| E | E⁷ E | E | E⁷ E ||

Outro   E   G   A   G E   G   A G
     ‖: Stone, not your steppin' stone, not your steppin' :‖ *Repeat to fade*

In Between Days

Words & Music by Robert Smith

A   D   Dmaj7(sus2)   Bm   E

Intro

‖: A | D | A | D :‖

‖: A | Dmaj7(sus2) | A | Dmaj7(sus2) :‖

| Bm | E | Bm | E |

‖: A | Dmaj7(sus2) | A | Dmaj7(sus2) :‖

Verse 1

    A   Dmaj7(sus2)
Yesterday I got so old,

    A   Dmaj7(sus2)
I felt like I could die.

A   Dmaj7(sus2)
Yesterday I got so old,

   A   Dmaj7(sus2)
It made me want to cry.

    A   Dmaj7(sus2)
Go on, go on, just walk away,

    A   Dmaj7(sus2)
Go on, go on, your choice is made.

    A   Dmaj7(sus2)
Go on, go on, and disappear,

    A   Dmaj7(sus2)
Go on, go on, away from here.

Chorus 1

    Bm
And I know I was wrong,

    E
When I said it was true,

    Bm   E
That it couldn't be me and be her in between,

    A   Dmaj7(sus2) A   Dmaj7(sus2)
Without you,   without you.

Link

| A | Dmaj7(sus2) | A | Dmaj7(sus2) |

Verse 2

    A   **Dmaj⁷(sus²)**
Yesterday I got so scared,

     A   **Dmaj⁷(sus²)**
I shivered like a child.

    A   **Dmaj⁷(sus²)**
Yesterday away from you,

     A   **Dmaj⁷(sus²)**
It froze me deep inside.

          A   **Dmaj⁷(sus²)**
Come back, come back, don't walk away,

         A   **Dmaj⁷(sus²)**
Come back, come back, come back today,

        A   **Dmaj⁷(sus²)**
Come back, come back, why can't you see,

        A   **Dmaj⁷(sus²)**
Come back, come back, come back to me.

Chorus 2

      Bm
And I know I was wrong,

      E
When I said it was true,

      Bm   **E**
That it couldn't be me and be her in between,

     A   **Dmaj⁷(sus²)** **A**   **Dmaj⁷(sus²)**
Without you, without   you,

     A   **Dmaj⁷(sus²)** **A**   **Dmaj⁷(sus²)**
Without you, without   you.

Outro   ‖: **A** |**Dmaj⁷(sus²)** | **G** | **Dmaj⁷(sus²)** :‖

                A **Dmaj⁷(sus²)** **A** **Dmaj⁷(sus²)**
‖: Without you, without   you.   :‖

In My Hour Of Darkness

Words & Music by Gram Parsons & Emmylou Harris

| A | G | D | A7 | C/E |

Capo third fret

Intro | A | A | G | D | D |

Chorus 1

D
In my hour of darkness,

In my time of need,

A
Oh, Lord grant me vision,
G   **D**
Oh, Lord grant me speed.

Verse 1

D
Once I knew a young man,

Went driving through the night.
A7
Miles and miles without a word
        G   **D**   **C/E**   **D**
With just his high-beam lights.
G   **D**
Who'd have ever thought they'd build
        G   **D**
Such a deadly Denver bend,
        A
To be so strong, to take so long
        G   **D**
As it would till the end?

Instrumental 1 ‖: **A⁷** | **A⁷** | **G** | **D** :‖

D
Chorus 2 In my hour of darkness,

In my time of need,
A
Oh, Lord grant me vision,
G   **D**
Oh, Lord grant me speed.

               D
Verse 2 An - other young man safely strummed

His silver stringed guitar.
          A⁷
And he played to people everywhere,
G   **D** **C/E** **D**
Some say he was a star.
    G   **D**
But he was just a country boy,
    G   **D**
His simple songs con - fess,
          A
And the music he had in him,
    G   **D**
So very few pos - sess.

          D
Chorus 3 In my hour of darkness,

In my time of need,
A
Oh, Lord grant me vision,
G   **D**
Oh, Lord grant me speed.

Instrumental 2 | **A⁷** | **A⁷** | **G** | **D** ‖

Verse 3

D
Then there was an old man,

Kind and wise with age.

A7
And he read me just like a book

     G   **D** **C/E** **D**
And he never missed a page.

     G   **D**
And I loved him like my father,

     G   **D**
And I loved him like my friend,

     A
And I knew his time would shortly come

     G   **D**
But I did not know just when.

Chorus 4

D
In my hour of darkness,

In my time of need,

A
Oh, Lord grant me vision,

G   **D**
Oh, Lord grant me speed.

A
Oh, Lord grant me vision,

G   **D**
Oh, Lord grant me speed.

Jamming

Words & Music by Bob Marley

Bm7   E   G   F♯m   Em

Intro   ‖: Bm7 | E | G | F♯m :‖

Chorus 1
      Bm7   E
We're jamming,
G   F♯m
  I wanna jam it with you,
      Bm7   E
We're jamming, jamming,
       G   F♯m
And I hope you like jamming too.

Verse 1
       Bm7   E
Ain't no rules, ain't no vow,
       Bm7   E
We can do it anyhow,
G   F♯m
I-and-I will see you through,
       Bm7   E
'Cause every day we pay the price
     Bm7   E
With a little sacrifice,
G   F♯m
Jamming till the jam is through.

Chorus 2
      Bm7   E
We're jamming,
          G   F♯m
To think that jamming was a thing of the past,
      Bm7   E
We're jamming,
       G   F♯m
And I hope this jam is gonna last.

Verse 2

Bm7   E
No bullet can stop us now,

       Bm7   E
We neither beg nor we won't bow,

G   F♯m
Neither can be bought nor sold.

   Bm7   E
We all defend the right,

      Bm7   E
Jah Jah children must unite,

     G   F♯m
Your life is worth much more than gold.

Chorus 3

      Bm7
We're jamming,

         E
(Jamming, jamming, jamming,)

         G   F♯m
And we're jamming in the name of the Lord,

    Bm7
We're jamming,

         E
(Jamming, jamming, jamming,)

      G   F♯m
We're jamming right straight from Jah.

Bridge

Bm7   Em
        Holy Mount Zion,

Bm7   Em
        Holy Mount Zion.

Bm7 N.C.
        Jah sitteth in Mount Zion

Bm7 N.C.
        And rules all Creation.

Chorus 4

         Bm7
Yeah, we're   jamming,

E   Bm7
(Pop-choo), pop-choo-wa-wa,

Bm7
     We're jamming (pop-choo-wa), see?

G   F♯m
    I wanna jam it with you.

              Bm⁷

We're jamming,

                E

(Jamming, jamming, jamming,)

        G   F♯m

I'm jammed, I hope you're jamming too.

Verse 3

Bm⁷   E   Bm⁷   E

Jam's about my pride and truth I cannot hide

G   F♯m

    To keep you satisfied.

         Bm⁷   E   Bm⁷   E

True love that now exist is the love I can't resist

      G   F♯m

So   jam by my side.

Chorus 5

                Bm⁷

𝄆 Yeah, we're jamming,

              E

(Jamming, jamming, jamming)

G   F♯m

  I wanna jam it with you.

      Bm⁷

We're jamming, we're jamming,

We're jamming, we're jamming,

      E

We're jamming, we're jamming,

We're jamming, we're jamming,

G   F♯m

  Hope you like jamming too.   𝄇 *Repeat to end with ad lib. vocals*

In The Ghetto

Words & Music by Mac Davis

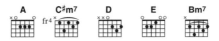

Capo second fret

Intro | A   ‖

Verse 1
       A
As the snow flies,
       C♯m7
On a cold and grey Chicago morning
      D   **E**   **A**
A poor little baby child is born in the ghetto,

And his Mama cries
       C♯m7
'Cause there's one thing that she don't need,
      D   **E**   **A**
It's another little hungry mouth to feed in the ghetto.

Bridge 1
         C♯m7
Oh, people don't you understand
        D **A**
This child needs a helping hand,
D   **E**   **A**
He's gonna grow to be an angry young man some day.
      C♯m7
And take a look at you and me,
      D **A**
Are we too blind to see?
     D   **C♯m7**   **Bm7**   **E**
Or do we simply turn our heads and look the other way?

Verse 2

        A
Well the world turns,
    C♯m7
A hungry little boy with a runny nose
D   **E**   **A**
Plays in the streets as the cold wind blows in the ghetto.

And his hunger burns,
      C♯m7
So he starts to roam the streets at night
    D   **E**
And he learns how to steal and he learns how to fight
    A
In the ghetto.

Bridge 2

C♯m7
Then one night in desperation
   D   **A**
The young man breaks away:
  D   **C♯m7**
He buys a gun, steals a car,
Bm7   **E**
Tries to run but he don't get far,
    A
And his Mama cries.
  C♯m7
A crowd gathers round an angry young man,
    D   **E**
Face down in the street with a gun in his hand,
   A
In the ghetto.

Bridge 3   As Bridge 1

Verse 3

    A
And as her young man dies
    C♯m7
On a cold and grey Chicago morn,
  D   **E**   **A**
Another little baby child is born in the ghetto,

In the ghetto.

Outro

    A
‖: In the ghetto. :‖   *Repeat to fade*

In The Midnight Hour

Words & Music by Steve Cropper & Wilson Pickett

Intro　　| D　　| B　　| A　　| G　　| E　A　| E　A　||

Verse 1
```
        E              A         E
I'm gonna wait till the midnight hour,
A            E          A         E
  That's when my love comes tumbling down,
A        E          A          E
  I'm gonna wait till the midnight hour,
A          E      A     E
  When there's no one else aro,und.,
```

Chorus 1
```
A               B                 A
  I'm gonna take you girl and hold you
       B                   A
And do all the things I told you
                          E A
In the midnight hour,
         E   A     E A
Yes I am,   oh yes I am.
```

| D　　| B　　||

Verse 2
```
        E              A          E
I'm gonna wait till the stars come out,
A        E      A       E
  See that twinkle in your eyes,
A        E          A          E
  I'm gonna wait till the midnight hour,
A           E      A      E
  That's when my love begins to shine.
```

	A B A
Chorus 2	You're the only girl I know,

B   A
That really love me so,

E   A
In the midnight hour,   oh yeah.

E   A   E   A
In the midnight hour,

D   B
Yeah, all right,

Play it for me one time, now.

Instrumental | E   A | E   A | E   D | B |

| E   A | E   A | E   A | B   ‖

	E A E
Verse 3	I'm gonna wait till the midnight hour,

A   E   A   E
That's when my love comes tumbling down,

A   E   A   E
I'm gonna wait   till the midnight hour,

A   E   A   E
That's when my love begins to shine.

A   E
‖: Just you and I. :‖	*Repeat to fade*
                                     with vocal ad lib.

85

Into Your Arms

Words & Music by Robyn St. Clare

D   Dadd11   G   Em   A

Intro   ‖: D Dadd11 D Dadd11│ D Dadd11 D Dadd11 :‖ *Play 4 times*

Verse 1
D   G   Em
I know a place where I can go when I'm low,
G   Em
Into your arms, wo-oh,
G   Em   D
Into your arms I can go.

                                           G   Em
I know a place that's safe and warm, from the crowd,
G   Em
Into your arms, wo-oh,
G   Em   D   Dadd11 D Dadd11│ D Dadd11 D Dadd11│
Into your arms I can go.

Chorus 1
A   G   D
And if I should fall,
A   G   Em A
I know I won't be alone,

Be alone any (more.)

Link 1   │ D Dadd11 D Dadd11│ D Dadd11 D Dadd11│ D Dadd11 D Dadd11│
more. _____

‖: D Dadd11 D Dadd11│ D Dadd11 D Dadd11 :‖

Verse 2   As Verse 1

Chorus 2

A   G   D
So if I should fall,

A   G   Em A
I know I won't be alone,

Be alone any (more.)

Link 2

| **D Dadd¹¹ D Dadd¹¹| D Dadd¹¹ D Dadd¹¹**|
more. _____

| **D Dadd¹¹ D Dadd¹¹| D Dadd¹¹ D Dadd¹¹**|

Verse 3

D   G   Em
I know a place where I can go when I'm low,

G   Em
Into your arms, wo-oh,

G   Em
Into your arms I can (go.)

| **D Dadd¹¹ D Dadd¹¹| D Dadd¹¹ D Dadd¹¹**|
go. _____

| **D   Dadd¹¹ D Dadd¹¹| D Dadd¹¹ D Dadd¹¹| D** ‖
I can go. _____

Keep The Faith

Words & Music by Jon Bon Jovi, Richie Sambora & Desmond Child

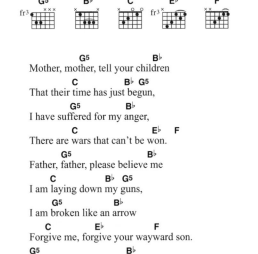

Verse 1

               G5   **B♭**
Mother, mother, tell your children

       C   **B♭ G5**
That their time has just begun,

     G5   **B♭**
I have suffered for my anger,

       C   **E♭**   **F**
There are wars that can't be won.

     G5   **B♭**
Father, father, please believe me

      C   **B♭ G5**
I am laying down my guns,

     G5   **B♭**
I am broken like an arrow

     C   **E♭**   **F**
Forgive me, forgive your wayward son.

G5   **B♭**
Everybody needs somebody to love,

C   **G5**
Everybody needs somebody to hate,

                   B♭
Everybody's bitchin' 'cause they can't get enough,

     C   **E♭**   **F**
It is hard to hold on when there's no-one to lean on.

Chorus 1

     G5   **B♭**   **F**
Faith, you know you're gonna live through the rain,

       C   **G5**
Lord, we've gotta keep the faith.

      B♭   **F**
Faith, don't you let your love turn to hate,

C   **G5**
Now we've gotta keep the faith,

Keep the faith, keep the faith,

               G5   **B♭** **C** **B♭** **G5**
Lord, we've gotta keep the faith.

Verse 2

G^5 $B^\flat$
Tell me baby, when I hurt you

   C G^5
Do you keep it all inside?

     G^5 $B^\flat$
Do you tell me all's forgiven

     C $E^\flat$ F
Or just hide behind your pride?

G^5 $B^\flat$
Everybody needs somebody to love,

C $B^\flat$ G^5
Everybody needs somebody to hate,

           $B^\flat$
Everybody's bitchin' 'cause the times are tough,

      C $E^\flat$ F
Well it's hard to be strong when there's no-one to dream on.

Chorus 2

G^5 $B^\flat$ F
Faith, you know you're gonna live through the rain,

   C G^5
Lord, we've gotta keep the faith.

    $B^\flat$ F
Faith, don't you know it's never too late,

   C G^5
Right now we've gotta keep the faith.

    $B^\flat$ F
Faith, don't let your love turn to hate,

   C G^5
Lord, you've gotta keep the faith.

G^5
Keep the faith, keep the faith,

              G^5
Oh, we've gotta keep the faith,

     $B^\flat$ C
Keep the faith, keep the faith,

G^5 F
Lord, we've gotta keep the faith.

Guitar solo
   ‖: G^5 | $B^\flat$ | C | G^5 :‖   *Play 3 times*

   | G^5 | $B^\flat$ | C | $E^\flat$ F ‖ G^5

Bridge
(spoken)

I've been walking in the footsteps of society's lies,

I don't like what I see no more, sometimes I wish I was blind.

Sometimes I wait forever, to stand out in the rain,

So no-one sees me cryin', tryin' to wash away this pain.

           G5   **B♭**   **C**   **B♭**

Pre chorus
(sung)
Mother, father says things I've done I can't erase,

G5
Every night we fall from grace,

 B♭   **C**
Hard with the world in your face,

        E♭ **F**   **G5**
Try to hold on, try to hold on.

    G5   **B♭**   **F**

Chorus 3
‖: Faith, you know you're gonna live through the rain,

C   **G5**
Lord, we've gotta keep the faith.

     B♭   **F**
Faith, don't you let your love turn to hate,

C   **G5**
Now we've gotta keep the faith,

     B♭   **F**
Keep the faith, keep the faith,

        E♭   **F**
Try to hold on, try to hold on. :‖ *Repeat to fade*

Let Her Go

Words & Music by Michael Rosenberg

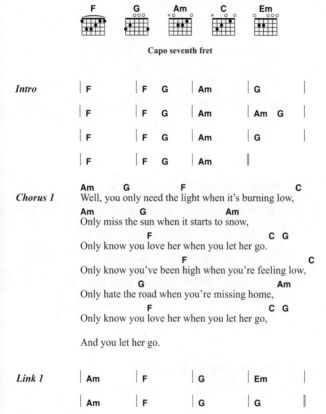

F   G   Am   C   Em

Capo seventh fret

Intro

F	F G	Am	G	
F	F G	Am	Am G	
F	F G	Am	G	
F	F G	Am	

Chorus 1

Am   G   F   C
Well, you only need the light when it's burning low,
Am   G   Am
Only miss the sun when it starts to snow,
                    F   C   G
Only know you love her when you let her go.
                    F   C
Only know you've been high when you're feeling low,
            G   Am
Only hate the road when you're missing home,
                  F   C   G
Only know you love her when you let her go,

And you let her go.

Link 1

| Am | F | G | Em | |
| Am | F | G | G | |

Verse 1

Am   F
Staring at the bottom of your glass,

        G   Em
Hoping one day you'll make a dream last,

                  Am   F   G
But dreams come slow and they go so fast.

       Am   F
You see her when you close your eyes,

        G   Em
Maybe one day you'll understand why

               Am   F   G
Everything you touch surely dies.

Chorus 2

                          F   C
But you only need the light when it's burning low,

          G   Am
Only miss the   sun when it starts to   snow,

               F   C
Only know you love her when you let her go.

G   F   C
    Only know you've been high when you're feeling low,

          G   Am
Only hate the road when you're missing home,

               F   C G
Only know you love her when you let her go.

Verse 2

Am   F
Staring at the ceiling in the dark,

        G   Em
Same old empty feeling in your heart

                Am   F   G
'Cause love comes slow and it goes so fast.

           Am   F
Well, you see her when you fall a - sleep,

          G   Em
But never to touch and never to keep,

                    Am   F
'Cause you loved her too much and you dived too deep.

Chorus 3

G   F   C
    Well, you only need the light when it's burning low,

        G   Am
Only miss the sun when it starts to snow,

               F   C
Only know you love her when you let her go.

cont.
G   F   C
 Only know you've been high when you're feeling low,
    G   Am
Only hate the road when you're missing home,
     F   C
Only know you love her when you let her go.
G   Am F G
 And you let her go,___ oh, oh, oh no.
    G Am F G
And you let her go,___ oh, oh, oh no.
     G (Am)
Will you let her go?___

Instrumental | Am | F | G | Em |

        | Am | F | G   ‖

Chorus 4
         F   C
 'Cause you only need the light when it's burning low,
     G   Am
Only miss the sun when it starts to snow,
     F   C
Only know you love her when you let her go.
G   F   C
 Only know you've been high when you're feeling low,
    G   Am
Only hate the road when you're missing home,
     F   C
Only know you love her when you let her go.

Chorus 5
G   F   C
 'Cause you only need the light when it's burning low,
     G   Am
Only miss the sun when it starts to snow,
     F   C G
Only know you love her when you let her go.
N.C.
Only know you've been high when you're feeling low,

Only hate the road when you're missing home,

Only know you love her when you let her go.

And you let her go.

Little Deuce Coupe

Words & Music by Brian Wilson & Roger Christian

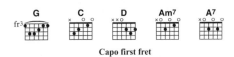

Capo first fret

Intro

G
Little deuce coupe, you don't know,

You don't know what I got.

Little deuce coupe, you don't know what I got.

Verse 1

G
Well, I'm not bragging babe so don't put me down,

But I've got the fastest set of wheels in town.

     C
When something comes up to me he don't even try,

       G
'Cause if it had a set of wings man, I know she could fly.

     D   **Am⁷**
She's my little deuce coupe,

D   **Am⁷**   **G**
   You don't know what I got.

(My little deuce coupe, you don't know what I got.)

Verse 2

G
Just a little deuce coupe with the flathead mill,

But she'll walk a Thunderbird like it's standing still.

     C
She's ported and relieved and she's stroked and bored,

     G
She'll do a hundred and forty in the top end floored.

                    D   **Am⁷**
                    She's my little deuce coupe,
                    D   **Am⁷**   **G**
                       You don't know what I got.

                    (My little deuce coupe, you don't know what I got.)

                    G   **C**
Bridge   She's got a competition clutch with the four on the floor,
                          G
                    And she purrs like a kitten till the lake pipes roar.
                          C
                    And if that ain't enough to make you flip your lid,
                          A⁷   **D**
                    There's one more thing, I got the pink slip, daddy.

                    G
Verse 3   And coming off the line when the light turns green,

                    Well, she blows 'em outta the water like you never seen.
                          C
                    I get pushed out of shape and it's hard to steer,
                          G
                    When I get rubber in all four gears.
                          D   **Am⁷**
                    She's my little deuce coupe,
                    D   **Am⁷**   **G**
                       You don't know what I got.

                    (My little deuce coupe, you don't know what I got.)
                          D   **Am⁷**
                    She's my little deuce coupe,
                    D   **Am⁷**   **G**
                       You don't know what I got.

                    (My little deuce coupe, you don't know what I got.)
                          D   **Am⁷**
                    She's my little deuce coupe,
                    D   **Am⁷**   **G**
                       You don't know what I got.   *To fade*

Mad World

Words & Music by Roland Orzabal

F#m   A   E   B   Badd11

Intro   *Drums for 4 bars*

Verse 1
F#m   A
    All around me are familiar faces,
E   B
Worn out places, worn out faces.
F#m   A
    Bright and early for their daily races,
E   B
Going nowhere, going nowhere.
F#m   A
    And their tears are filling up their glasses,
E   B
No expression, no expression.
F#m   A
    Hide my head I want to drown my sorrow,
E   B
No tommorow, no tommorow.

Pre chorus 1
F#m   B
    And I find it kind of funny,
                F#m
I find it kind of sad.
                        B
The dreams in which I'm dying
                F#m
Are the best I've ever had.
                B
I find it hard to tell you
                        F#m
'Cause I find it hard to take.
                B
When people run in circles

It's a very, very…

Chorus 1

F#m   B   Badd11
Mad World,

F#m   B   Badd11
Mad World.

F#m   B   Badd11
Mad World,

F#m   B   Badd11
Mad World.

Verse 2

F#m   A
Children waiting for the day they feel good,

E   B
Happy Birthday, Happy Birthday!

F#m   A
Made to feel the way that every child should,

E   B
Sit and listen, sit and listen.

F#m   A
Went to school and I was very nervous,

E   B
No one knew me, no one knew me.

F#m   A
"Hello teacher, tell me what's my lesson?"

E   B
Look right through me, look right through me.

Pre chorus 2   As Pre chorus 1

Chorus 2   As Chorus 1

Instrumental | Badd11 | Badd11 |

            ‖: F#m | A | E | B   :‖

Pre chorus 3   As Pre chorus 1

Chorus 3   As Chorus 1

Outro   ‖: Badd11 | Badd11 | Badd11 :‖   *Drums for 2 bars*

(Marie's The Name)
His Latest Flame

Words & Music by Doc Pomus & Mort Shuman

| G | Em | C | D | D7 |

Intro | G | Em | G | Em | G | Em ||

Verse 1

       G   **Em**   **G**
A very old friend came by today,

Em   **G**   **Em**
  'Cause he was telling everyone in town

G   **Em**
Of the love that he'd just found,

             C   **D**
And Marie's the name

        G   **Em G** **Em**
Of his latest flame.

Verse 2

           G   **Em**   **G**
He talked and talked and I heard him say

Em   **G**   **Em**
  That she had the longest, blackest hair,

    G   **Em**
The prettiest green eyes anywhere,

          C   **D**
And Marie's the name

        G   **Em** **G**   **Em**
Of his latest flame.

Bridge 1

      D   C   D   C
Though I smiled the tears inside were burning,

       D   C   D C
I wished him luck and then he said goodbye.

      D   C   D   C
He was gone but still his words kept returning,

        D^7 C   G   Em   G   Em
What else was there for me to do but cry.

Verse 3

                            G   Em   G
Would you believe   that yesterday

Em   G   Em
   This girl was in my arms and swore to me

G   Em
She'd be mine eternally,

               C   D
And Marie's the name

              G   Em   G   Em
Of his latest flame.

Bridge 2   As Bridge 1

Verse 4

                            G   Em   G
Would you believe   that yesterday

Em   G   Em
   This girl was in my arms and swore to me

G   Em
She'd be mine eternally,

               C   D
And Marie's the name

              G   Em   G
Of his latest flame.

Coda

|: Em   C   D
    Yeah Marie's the name

            G
Of his latest flame. :| *Repeat to fade*

Matthew & Son

Words & Music by Cat Stevens

B A E D Em

Intro
B	B	A	A
B	B	A	A	
E	E	

Verse 1
Up at eight, you can't be late
    D   **E**
For Matthew and Son, he won't wait.
E
Watch them run down to platform one
          D   **E**
And the eight-thirty train to Matthew and Son.

Chorus 1
B   **A**
Matthew and Son, the work's never done, there's always something new.
B   **A**
The files in your head, you take them to bed, you're never ever through.
             E   **A**   **B**   **E** **A** **B** **E** **Em**
And they've been working all day, all day, all day!

Verse 2
           E
There's a five minute break and that's all you take,
       D   **E**
For a cup of cold coffee and a piece of cake.

B   A
Matthew and Son, the work's never done, there's always something new.

  B   A
The files in your head, you take them to bed, you're never ever through.

              E   A   B   E A B E Em
And they've been working all day, all day, all day!

Em   A   Em
He's got people who've been working for fifty years,

                  A   Em
No one asks for more money 'cause nobody dares.

                      A   Em A Em A
Even though they're pretty low and their rent's in arrears.

B   A
Matthew and Son, Matthew and Son,

B   A
Matthew and Son, Matthew and Son,

              E   A   B   E A B E Em
And they've been working all day, all day, all day!

| B | B | A | A | ‖

  B   A
‖: Matthew and Son, Matthew and Son,

B   A
Matthew and Son, Matthew and Son. :‖ *Repeat to fade*

Me And Julio Down By The Schoolyard

Words & Music by Paul Simon

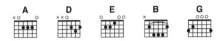

A   D   E   B   G

Intro   ‖: **A D A E** :‖   *Play 7 times*

Verse 1

      A
The mama pyjama rolled out of bed,

            D
And she ran to the police station.

      E
When the papa found out, he began to shout,

         A
And he started the investigation.

        E   **A**
It's against the law, it was against the law,

        E   **A**
What the mama saw, it was against the law.

Verse 2

The mama looked down and spit on the ground

           D
Every time my name gets mentioned.

E
Papa said, "Oy, if I get that boy

                 A
I'm gonna stick him in the house of detention."

Chorus 1
                D   A
Well I'm on my way, I don't know where I'm goin'.
               D   A   B   E
I'm on my way, I'm takin' my time but I don't know where.
             D   G   A
Goodbye to Rosie, the queen of Corona.
        A   G   D   E   A   D A E
See you me and Julio down by the schoolyard.
        A   G   D   E   A   D A E
See you me and Julio down by the schoolyard.

Instrumental | D | A | D | A B E |

| D G | A | ‖: A G D E | A D A E :‖ E ‖

Verse 3
        A
In a couple of days they're come and take me away,
                    D
But the press let the story leak.
              E
And when the radical priest come to get me released
                  A
We was all on the cover of *Newsweek*.

Chorus 2
                D   A
And I'm on my way, I don't know where I'm goin'.
               D   A   B   E
I'm on my way, I'm takin' my time, but I don't know where.
             D   G   A
Goodbye to Rosie, the queen of Corona.
        A   G   D   E   A   D A E
See you me and Julio down by the schoolyard.
        A   G   D   E   A   D A E
See you me and Julio down by the schoolyard.
        A   G   D   E   A   D A E
See you me and Julio down by the schoolyard.

Coda   ‖: A D A E :‖   *Repeat to fade*

Men's Needs

Words & Music by Gary Jarman, Ross Jarman & Ryan Jarman

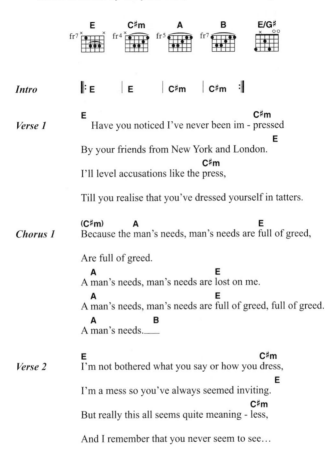

Intro ‖: E | E | C#m | C#m :‖

Verse 1
  E   C#m
Have you noticed I've never been im - pressed

               E
By your friends from New York and London.

         C#m
I'll level accusations like the press,

Till you realise that you've dressed yourself in tatters.

Chorus 1
(C#m)   A   E
Because the man's needs, man's needs are full of greed,

Are full of greed.

 A   E
A man's needs, man's needs are lost on me.

 A   E
A man's needs, man's needs are full of greed, full of greed.

 A   B
A man's needs.____

Verse 2
E   C#m
I'm not bothered what you say or how you dress,

               E
I'm a mess so you've always seemed inviting.

          C#m
But really this all seems quite meaning - less,

And I remember that you never seem to see…

Chorus 2

(C♯m)　　　　　　　　A　　　　　　　　　　　　　　　　　E
The fact that man's needs, man's needs are full of greed,

Are full of greed.

A　　　　　　　　　　　　　　　　E
A man's needs, man's needs are lost on me.

A　　　　　　　　　　　　E
A girl's needs, girl's needs, just don't agree, just don't agree,

A　　　　　　　B
With a man's needs.___

Solo

| E | E | C♯m | C♯m |

| E/G♯ | E/G♯ | A | B |

| E | E | C♯m | C♯m |

| E/G♯ | A | B | B ‖

Verse 3

E　　　　　　　　　　　　　　　　　　　　　　　C♯m
　Have you noticed I've never been im - pressed

　　　　　　　　　　　　　　　　　　　　E
By your friends from New York and London?

　　　　　　　　　　　　　　　C♯m
But really this all seems quite meaning - less,

When I remember that you never seem to see.

Chorus 3

(C♯m)　　　　　　　A　　　　　　　　　　　　　　　　　E
　The excuse that man's needs, man's needs are full of greed,

Are full of greed.

A　　　　　　　　　　　　　　　　E
A man's needs, man's needs are lost on me.

　　　　A　　　　　　　　　　　　　　　E
You say a man's needs, man's needs ap - ply to me,

C♯m　　A　　　　　　　　B
I don't agree, a man's needs,___

　　　　　　(E)
Oh, oh.___

Outro

‖: E | E | E | E :‖

105

Monkey

Words & Music by Mimi Parker, Zak Sally & George Sparhawk

Capo fourth fret

Intro	| **Am**	| **D**	| **Am**	| **D**	||

     Am   F   D   F Am   F   D   F

Verse 1   Oh, my, my,   little white lie,

     Am   F   D   G   F

    I swear I'm gonna make it right this time.

     Am   F D F Am   F   D   F

    It's like the rad - i - o   turning way down low

     Am   F   D   G   F

    Telling me things I do not know I know.

     G   Dm

Chorus 1   Tonight you will be mine,

     F   Am F D

    Tonight the monkey dies.

     G   Dm

    Tonight you will be mine,

     F   (Am)

    Tonight the monkey dies.

Link 1	| **Am**	**F**	**D**	**F** | **Am**	**F**	**D**	**F** ||

     Am   F D   F Am   F   D   F

Verse 2   Now, who's to blame?   You used to be the same,

     Am   F   D   G   F

    Now you won't let me speak your name, what a shame.

     Am   F D   F Am   F   D   F

    It's a su - i - cide,   shut up and drive,

     Am   F   D   G   F

    We're ne - ver gonna make the light, but it's all right.

Chorus 2

     G   Dm
     'Cause tonight you will be mine,

     F   Am   F D
     Tonight the monkey dies.

     G   Dm
     Tonight you will be mine,

     F   (Am)
     Tonight the monkey dies.

Instrumental ‖: Am   F | D   F | Am   F | D   F :‖ *Play 4 times*

Chorus 3

     G   Dm
     Tonight you will be mine,

     F
     Tonight the monkey dies.

     G   Dm
     Tonight you will be mine,

     F   Am F D
     Tonight the monkey dies.

     G   Dm
     Tonight you will be mine,

     F   Am F D   F Am   F
     Tonight the monkey dies.

     D   F Am   F D   F Am   F D
     The mon - key dies.

Moonlight Shadow

Words & Music by Mike Oldfield

E	B	C#m	A	Bsus⁴

Intro | E | B | C#m A | B |

Verse 1

       C#m   A
The last that ever she saw him
B   E   B
Carried away by a moonlight shadow
       C#m   A
He passed on worried and warning
B   E   B
Carried away by a moonlight shadow

Pre-chorus 1

E   B
Lost in a river last Saturday night
C#m A   B
Far a - way on the other side.
          E
He was caught in the middle of a desperate fight
         C#m   A   B
And she couldn't find how to push through

Verse 2

       C#m   A
The trees that whisper in the evening
B   E   B
Carried away by a moonlight shadow
       C#m   A
Sing a song of sorrow and grieving
B   E   B
Carried away by a moonlight shadow

Pre-chorus 2

```
E                              B
All she saw was a silhou - ette of a gun
C#m   A          B
Far a - way on the other side
            E
He was shot six times by a man on the run
            C#m          A          B
And she couldn't find how to push through
```

Chorus 1

```
Bsus4  B    Bsus4  B
I_____ stay, I_____ pray
            E      A          B  Bsus4  B
I see you in heaven far a  -  way
Bsus4  B    Bsus4  B
I_____ stay, I_____ pray
            E      A      B
I see you in heaven one___ day
```

Verse 3

```
C#m              A
Four am in the morning
B                E          B
Carried away by a moonlight shadow
   C#m                A
I watched your vision forming
B                E          B
Carried away by a moonlight shadow
```

Pre-chorus 3

```
E                    B
Star was light in a silvery night
C#m   A          B
Far a - way on the other side
            E                B
Will you come to talk to me this night
            C#m          A          B
But she couldn't find how to push through
```

Chorus 2

```
Bsus4  B    Bsus4  B
I_____ stay, I_____ pray
            E      A          B  Bsus4  B
I see you in heaven far a  -  way
Bsus4  B    Bsus4  B
I_____ stay, I_____ pray
            E      A      B
I see you in heaven one___ day
```

Instrumental ‖: C♯m | A | B | E B :‖ E | B ‖

C♯m   A   B
Far a - way on the other side

| E | B | C♯m A | B |

‖: C♯m | A | B | E B :‖

E   B
Caught in the middle of a hundred and five

| C♯m A | B |

        E   B
The night was heavy and the air was alive

            C♯m   A   B
But she couldn't find how to push through

| C♯m | A |

B   E   B
Carried away by a moonlight shadow

| C♯m | A |

B   E   B
Carried away by a moonlight shadow

| E | B |

C♯m   A
Far a - way on the other side.

| E | B |

          C♯m   A   B
But she couldn't find how to push through

110

Move Closer

Words & Music by Phyllis Nelson

Dmaj7　　G　　A11　　A6　　A

Intro
(spoken)

‖: Dmaj7 | Dmaj7 | G | A11 A6 :‖

Dmaj7
Hey baby, you go your way,

And I'll go mine,

But in the meantime…

Verse 1

Dmaj7
When we're together,

G   **A**
Touching each other,

Dmaj7
And our bodies,

G   **A**
Do what we feel.

Dmaj7
When we're dancing,

G   **A11**   **A**
Smooching and sway - ing,

Dmaj7
Tender love songs,

G   **A11**   **A**
Softly play - ing.

Chorus 1

A6　　A
Move closer,

A6 A　　　　　　　A6　A
　　Move your body real close

　　　　G　　　　　　　A　　　　　　G
Until we＿ feel like we're really making love.

　　　A　　A6 A　　A6 A
Ooh move closer,

A6　　　　　　　　　A
Move your body real close

　　　A6 A　G　　　　　　A　　　　　　G
Un - til we＿ feel like we're really making love.

Verse 2

Dmaj7
　　So when I say "Sugar,"

G　　　　　　　　A11　　A
　　And I whisper "I love you."

Dmaj7
　Well, I know you're gonna answer in

The sweetest words saying

　　　　　　　　G　　　　A
"My pretty lady,＿ I love you too."

　　　Dmaj7
Well,＿ there's much proof of passion

Dmaj7
　Ooh,　no, no,

G　　　　　　　　　　　A11　A
　There's no room for fears

　　　Dmaj7　　　　　　　　　　　　　　　　　G
When,＿ good love flows smoothly between us ba - by,

　　A11　A
My　dear, move,

112

	A A6 A A6 A
Chorus 2	Move closer,

A6 A   A6 A
   Move your body real close

    A6 A G   A   G
Un - til we⎯ feel like we're really making love.

    A   A6 A
Ooh, move closer,

A6 A   A6 A
   Move your body real close

    A6 A G   A   G
Un - til we⎯ feel like we're really making love.

Outro | Dmaj7 | Dmaj7 | G | A11 A ‖ *To fade*

More Than This

Words & Music by Bryan Ferry

C#   C#sus4   F#   B   G#m

Intro   ‖: C# | C# | C#sus4 | C#sus4 :‖

Verse 1

        F#   **B**
I could feel at the time
            G#m   **C#**
There was no way of knowing
     F#   **B**
Fallen leaves in the night
     G#m   **C#**
Who can say where they're blowing
    F#   **B**
As free as the wind
G#m   **C#**
Hopefully learning
      F#   **B**
Why the sea on the tide
      G#m   **C#**
Has no way of turning

Chorus 1

         F#   **B**
More than this you know there's nothing
         F#   **B**
More than this tell me one thing
         F#   **B**
More than this there is nothing

Link 1 | C# | C# | B | B ‖

Verse 2
      F♯   **B**
It was fun for a while
        G♯m   **C♯**
There was no way of knowing
     F♯   **B**
Like a dream in the night
       G♯m   **C♯**
Who can say where we're going
 F♯   **B**
No care in the world
G♯m   **C♯**
  Maybe I'm learning
        B
Why the sea on the tide
    G♯m   **C♯**
Has no way of turning

Chorus 2
       F♯   **B**
More than this you know there's nothing
       F♯   **B**
More than this tell me one thing
       F♯   **B**
More than this no there's nothing

Link 2 | **C♯** | **C♯** | **B** | **B**   ‖

Chorus 3
      F♯ B
More than this nothing
      F♯ B
More than this
      F♯ B
More than this nothing

Link 3 | **C♯** | **C♯** | **B** | **B**   ‖

Outro   ‖: **F♯** | **B** | **G♯m** | **C♯** :‖ *Repeat to fade*

No More Heroes

Words & Music by Hugh Cornwell, Jean-Jacques Burnel,
David Greenfield & Jet Black

Gm · C · F · B♭ · Am (chord diagrams)

Intro
‖: Gm C │ Gm F │ Gm C │ Gm F :‖

Verse 1

         Gm   C F Gm   C F Gm
Whatever happened to   Leon Trotsky?

                C F Gm   C F Gm
He got an ice pick   that made his ears burn.

                C F Gm   C F Gm
Whatever happened to   dear old Lenny,

                C F Gm   C F Gm
The great Elmyra   and Sancho Panza?

Chorus 1

B♭   C   Gm
  Whatever happened to the heroes?

B♭   C   Gm
  Whatever happened to the heroes?

Verse 2

         Gm   C F Gm   C F Gm
Whatever happened to   all the heroes?

                C   F Gm
All the Shakespearoes?

                        C F Gm
They watched their Rome burn.

Chorus 2

B♭   C   Gm
  Whatever happened to the heroes?

B♭   C   Gm
  Whatever happened to the heroes?

Bridge 1

Gm   C   Gm F
No more heroes any more,

Gm   C   Gm F
No more heroes any more.

Guitar solo ‖: Gm Am | B♭ C :‖: Gm Am | B♭ Am :‖

‖: Gm Am | B♭ F :‖: Gm C | Gm F :‖

Keyboard solo ‖: B♭ | C | B♭ | C :‖ *Play 5 times*

| Gm C | Gm F | Gm C | Gm F ‖

Verse 3

           Gm   C F Gm   C F Gm

Whatever happened to   all of the heroes?

                C   F Gm

All the Shakespearoes?

                              C F Gm

They watched their Rome burn.

Chorus 3

B♭   C   Gm

  Whatever happened to the heroes?

B♭   C   Gm

  Whatever happened to the heroes?

Bridge 2

Gm   C   Gm F

No more heroes any more,

Gm   C   Gm F

No more heroes any more,

Gm   C   Gm F

No more heroes any more,

Gm   C   Gm F

No more heroes any more.

Coda ‖: Gm | Gm | Gm | Gm :‖ *Play 3 times*

No Particular Place To Go

Words & Music by Chuck Berry

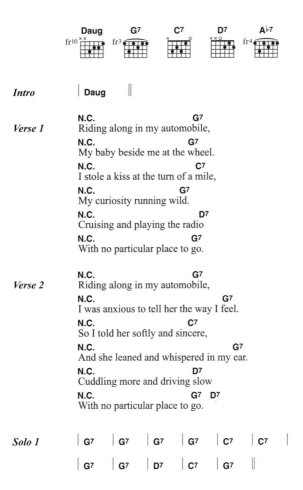

Intro | Daug   ‖

Verse 1
N.C.   G7
Riding along in my automobile,
N.C.   G7
My baby beside me at the wheel.
N.C.   C7
I stole a kiss at the turn of a mile,
N.C.   G7
My curiosity running wild.
N.C.   D7
Cruising and playing the radio
N.C.   G7
With no particular place to go.

Verse 2
N.C.   G7
Riding along in my automobile,
N.C.   G7
I was anxious to tell her the way I feel.
N.C.   C7
So I told her softly and sincere,
N.C.   G7
And she leaned and whispered in my ear.
N.C.   D7
Cuddling more and driving slow
N.C.   G7 D7
With no particular place to go.

Solo 1 | G7 | G7 | G7 | G7 | C7 | C7 |

              | G7 | G7 | D7 | C7 | G7   ‖

Verse 3

G⁷ N.C.   G⁷
    No particular place to go,

N.C.   G⁷
So we parked way out on the kokomo.

N.C.   C⁷
The night was young and the moon was gold

N.C.   G⁷
So we both decided to take a stroll.

N.C.   D⁷
Can you imagine the way I felt?

N.C.   G⁷
I couldn't unfasten her safety belt.

Verse 4

N.C.   G⁷
Riding along in my calaboose,

N.C.   G⁷
Still trying to get her belt unloose.

N.C.   C⁷
All the way home I held a grudge

N.C.   G⁷
But the safety belt it wouldn't budge.

N.C.   D⁷
Cruising and playing the radio

N.C.   G⁷
With no particular place to go.

Solo 2

G⁷	G⁷	G⁷	G⁷	C⁷	C⁷	
G⁷	G⁷	D⁷	C⁷	G⁷	G⁷ D⁷	
G⁷	G⁷	G⁷	G⁷	C⁷	C⁷	
G⁷	G⁷	D⁷	C⁷	G⁷	A♭⁷ G⁷	

One Track Mind

Words & Music by Linda Colley & Keith Colley

E   C#m   F#   F#m   A7

Intro ‖: E | E | E | E :‖

Verse 1
E
There's no denying, I've been crying, yeah, without her.

Somebody help me please, I can't forget about her.

Chorus 1
       C#m   F#
I got a one track mind,
C#m   F#
Maybe I'm a stubborn fool.
         F#m   F#   E
Somebody please,   tell me what to do.

Verse 2
E
Don't try to tell me some girl will be taking her place.

I close my eyes and all I visualise is her face.

Chorus 2
       C#m   F#
I got a one track mind,
C#m   F#
I won't believe that girl is gone
        F#m   F#   E
Somebody please,   tell me I'm not wrong.

Bridge	**C♯m** **F♯** I can see her by my side, **C♯m** **F♯** But the more I stare, **C♯m** **F♯** Makes me want to run and hide, **C♯m** **A7** When I find out she's not there.

Link 1   ‖: **E** | **E** | **E** | **E**   :‖

Chorus 3   As Chorus 2

Link 2 | **E** | **E** | **E** | **E** |

Verse 3   As Verse 1

Chorus 4   As Chorus 1

Link 3 | **E** | **E** | **E** | **E** |

Outro	**C♯m** **F♯** I got a one track mind, **C♯m** **F♯** ‖: One track mind. :‖ *Repeat to fade*

The Passenger

Words by James Osterberg
Music by James Osterberg & Ricky Gardiner

Am   F   C   G   E

Intro ‖: Am F │ C G │ Am F │ C E :‖ *Play 3 times*

Verse 1

Am   F   C   G
  I am the passenger

Am   F   C   E
  And I ride and I ride:

Am   F   C   G
  I ride through the city's backsides,

Am   F   C   E
  I see the stars come out of the sky.

Am   F   C   G
  Yeah, the bright the hollow sky,

Am   F   C   E
  You know it looks so good tonight.

Link 1 │ Am F │ C G │ Am F │ C E ‖

Verse 2

Am   F   C   G
  I am the passenger,

Am   F   C   E
  I stay under glass,

Am   F   C   G
  I look through my window so bright,

Am   F   C   E
  I see the stars come out tonight,

Am   F   C   G
  I see the bright and hollow sky

Am   F   C   E
  Over the city's ripped-back sky,

Am   F   C   G
  And everything looks good tonight.

Link 2 │ Am F │ C E ‖

122

Chorus 1
　　　　　Am　F　　C　　　G　Am　F　　C　　　　E
Singing la la, la la, la-la-la-la,　la la, la la, la-la-la-la,

Am　F　　C　　　G
La la, la la, la-la-la-la, la la (la.)

Link 3　　| Am　F | C　E | Am　F | C　G ‖
　　　　　la.

Verse 3
Am　F　　　C　G
　Get into the car,

Am　　　　　　F　　C　E
　We'll be the passenger:

Am　　　　F　　　C　G
　We'll ride through the city tonight,

Am　　　　F　C　　　　E
　We'll see the city's ripped backsides,

Am　　　　F　　　C　G
　We'll see the bright and hollow sky,

Am　　　　F　　　C　E
　We'll see the stars that shine so bright,

Am　F　　C　G
　Stars made for us tonight.

Link 4　　| Am　F | C　E | Am　F | C　G | Am　F | C　E ‖

Verse 4
Am　　　F　　C　G　Am　　F　　C　　　E
　Oh, the passenger　　how, how he rides.

Am　　　F　　C　G　Am　F　　　　C　　　E
　Oh, the passenger　　he rides and he rides.

Am　　　F　　　C　　　G
　He looks through his window,

Am　F　　C　E
　What does he see?

Am　　　　F　　　C　　　G
　He sees the bright and hollow sky,

Am　　　F　　C　　E
　He sees the stars come out tonight,

Am　　　F　　　C　　　G
　He sees the city's ripped backsides,

Am　　　F　　C　E
　He sees the winding ocean drive.

Am　　　F　　　C　　　G
　And everything was made for you and me,

Am　　　F　　C　　E
　All of it was made for you and me,

123

cont.

	Am	F	C	G

'Cause it just belongs to you and me,

| | Am | F | C | E |

So let's take a ride and see what's (mine.)

Link 5

| Am F | C G | Am F | C E ‖

mine.   Singing:

Chorus 2

Am F C   G Am F C   E
La la, la la, la-la-la-la, la la, la la, la-la-la-la,

Am F C   G
La la, la la, la-la-la-la, la la (la.)

Link 6

| Am F | C E | Am F | C G ‖

la.

Verse 5

Am   F   C G Am F   C   E
    Oh, the passenger   he rides and he rides:

Am   F   C   G
    He sees things from under glass,

Am   F   C   E
    He looks through his window side,

Am   F   C   G
    He sees the things he knows are his.

Am   F   C   E
    He sees the bright and hollow sky,

Am   F C   G
    He sees the city sleep at night,

Am   F   C   E
    He sees the stars are out tonight.

Am   F C   G
    And all of it is yours and mine,

Am   F C   E
    And all of it is yours and mine,

Am   F   C   G   Am F C E
    So let's ride and ride and ride and ride.

Link 7

| Am F | C G ‖

                    Singing:

Chorus 3

   Am F C   G Am F C   E
‖: La la, la la, la-la-la-la, la la, la la, la-la-la-la,

Am F C   G
La la, la la, la-la-la-la, la la la. :‖ *Repeat to fade*

124

Rabbit Heart (Raise It Up)

Words & Music by Paul Epworth, Florence Welch,
Joshua Deutsch, Brian Degraw, Elizabeth Bougatsos & Timothy Dewit

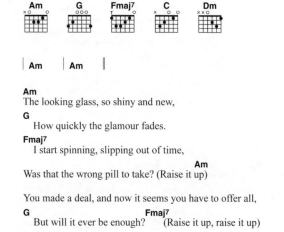

Intro | Am | Am ‖

Verse 1

Am
The looking glass, so shiny and new,
G
   How quickly the glamour fades.
Fmaj7
   I start spinning, slipping out of time,
                                        Am
Was that the wrong pill to take? (Raise it up)

You made a deal, and now it seems you have to offer all,
G   **Fmaj7**
   But will it ever be enough?   (Raise it up, raise it up)

It's not enough. (Raise it up, raise it up)
         Am   **G**
Here I am, a rabbit-hearted girl,
                    Fmaj7
Frozen in the head - lights,

It seems I've made the final sacrifice.

Pre chorus 1

Am C   **Fmaj7 G**   **Am**
   We raise it up,   this offer - ing,
C   **Fmaj7 G**
   We raise it up.

Chorus 1

(G)   Dm   Fmaj⁷
This is a gift, it comes with a price,

            Am   G
Who is the lamb and who is the knife?

            Dm   Fmaj⁷
And Midas is king and he holds me so tight

            Am   G
And turns me to gold in the sun - light.

Verse 2

Am   G
   I look around, but I can't find you, (Raise it up)

                          Fmaj⁷
If only I could see your face. (Raise it up)

I start rushing towards the skyline, (Raise it up)

I wish that I could just be brave.

            Am   G
I must be - come a lion-hearted girl,

            Fmaj⁷
Ready for a fight,

Before I make the final sacrifice.

Pre chorus 2   As Pre chorus 1

Chorus 2   As Chorus 1

Bridge

N.C.(Am)
Raise it up, raise it up,

Raise it up, raise it up.

            Dm   Fmaj⁷
And in the spring I shed my skin

            Am   G
And it blows a - way with the changing winds.

            Dm   Fmaj⁷
The waters turn from blue to red

            Am   G
As towards the sky I offer it.

Chorus 3   As Chorus 1

Chorus 4   As Chorus 1

          (G)   Dm   Fmaj7
Chorus 5   This is a gift, it comes with a price,

                      Am   G
          Who is the lamb and who is the knife?

                  Dm   Fmaj7
          Midas is king and he holds me so tight

                    G
          And turns me to gold in the sunlight.

                  Am
          This is a gift.

Pretty Vacant

Words & Music by Steve Jones, Johnny Rotten, Paul Cook & Glen Matlock

A5   G   D   E   C

Intro   ‖: A5 | A5 | A5 | A5 :‖   *Play 10 times*

Verse 1
        A5   **G**
There's no point in asking,
          D **A5**
You'll get no reply,
    G   **E**
Oh just remember, I don't decide.
    A5 **G**   **D**   **A5**
I got no reason, it's all too much,
          G   **E** **A5**
You'll always find us out to lunch!

Chorus 1
        D   **C**
Oh we're so pretty, oh so pretty,
A5
    We're vacant.
        D   **C**
Oh we're so pretty, oh so pretty,
A5
    a - vacant.

Verse 2
        A5   **G**
Don't ask us to attend,
         D **A5**
'Cause we're not all there,
    G   **E**
Oh don't pretend 'cause I don't care.
    A5   **G**   **D**   **A5**
I don't believe in illusions, 'cause too much is real.
    G   **E**
So stop your cheap comment,
              A5
'Cause we know what we feel.

Chorus 2	**D** **C** Oh we're so pretty, oh so pretty,

Chorus 2

    D   **C**
Oh we're so pretty, oh so pretty,

A⁵
  We're vacant.

    D   **C**
Oh we're so pretty, oh so pretty,

A⁵
  a - vacant.

    D   **C**
Oh we're so pretty, oh so pretty,

A⁵   **G** **E** **N.C.**   **A⁵**
Ah, but now,   and we don't care.

Verse 3

       A⁵   **G**
There's no point in asking,

     D   **A**
You'll get no reply,

 G   **E**
Oh just remember I don't decide.

A⁵   **G**   **D**   **A⁵**
I got no reason it's all too much,

     G   **E**   **A⁵**
You'll always find me   out to lunch!

We're out to lunch.

Chorus 3   As Chorus 2

Outro

A⁵
We're pretty, a - pretty vacant,

We're pretty, a - pretty vacant,

We're pretty, a - pretty vacant,

We're pretty, a - pretty vacant,

And we don't care!

Raspberry Beret

Words & Music by Prince

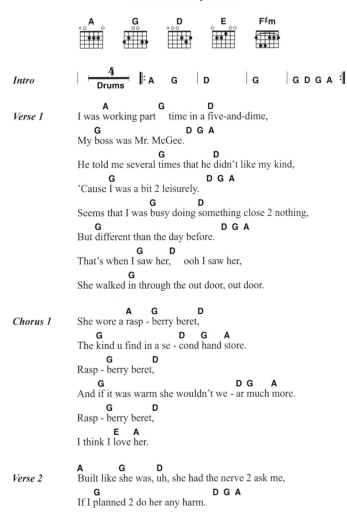

Intro

$\frac{4}{\text{Drums}}$ ‖: A   G | D | G | G D G A :‖

Verse 1

        A   G   D
I was working part   time in a five-and-dime,
    G   D G A
My boss was Mr. McGee.
                  G   D
He told me several times that he didn't like my kind,
    G   D G A
'Cause I was a bit 2 leisurely.
               G   D
Seems that I was busy doing something close 2 nothing,
    G   D G A
But different than the day before.
              G   D
That's when I saw her,   ooh I saw her,
              G
She walked in through the out door, out door.

Chorus 1

          A   G   D
She wore a rasp - berry beret,
    G   D   G   A
The kind u find in a se - cond hand store.
        G   D
Rasp - berry beret,
    G   D G   A
And if it was warm she wouldn't we - ar much more.
        G   D
Rasp - berry beret,
      E   A
I think I love her.

Verse 2

  A   G   D
Built like she was, uh, she had the nerve 2 ask me,
    G   D G A
If I planned 2 do her any harm.

cont.

                      G   **D**
So look here, I put her on the back of my bike and uh, we went riding,

        G   **D G A**
Down by old man Johnson's farm.

             G   **D**
I said now, overcast days never turned me on,

     G   **D G A**
But something about the clouds and her mixed.

      G   **D**
She   wasn't 2 bright but I could tell,

   G
When she kissed me,

She knew how 2 get her kicks.

Chorus 2   As Chorus 1

         D   **A**   **D**   **A**
Bridge   The rain sounds cool   when it hits the barn roof,

D   **A**   **D A**
And the horses wonder who you are.

D   **A**   **D A**
Thunder drowns out what the lightning sees,

   D A   **D A**
U feel like a movie star.

       G   **F♯m**   **E**
Listen,   they say the first time   ain't the greatest,

           D   **A**   **D A**
But I tell ya,   if I had the chance 2 do it all a - gain,

G   **F♯m**
I wouldn't change a stroke 'cause baby I'm the most,

     E
With a girl as fine as she was then.

             A   **G**   **D**
Chorus 3   ‖: She wore a rasp - berry beret,

         G   **D G**   **A**
The kind u find in a se - cond hand store.

      G   **D**
Rasp - berry beret,

     G   **D G**   **A**
And if it was warm she wouldn't we - ar much more.

      G   **D**
Rasp - berry beret,

E   **A**
   I think I, I think I,   I think I love her. :‖ *Repeat to fade*

Reason To Believe

Words & Music by Tim Hardin

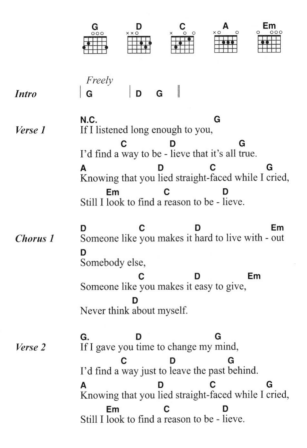

Chord diagrams: G, D, C, A, Em

Freely

Intro
| G | D G |

Verse 1

N.C.   G
If I listened long enough to you,

          C   D   G
I'd find a way to be - lieve that it's all true.

A   D   C   G
Knowing that you lied straight-faced while I cried,

          Em   C   D
Still I look to find a reason to be - lieve.

Chorus 1

D   C   D   Em
Someone like you makes it hard to live with - out

D
Somebody else,

                    C   D   Em
Someone like you makes it easy to give,

                    D
Never think about myself.

Verse 2

G.   D   G
If I gave you time to change my mind,

          C   D   G
I'd find a way just to leave the past behind.

A   D   C   G
Knowing that you lied straight-faced while I cried,

          Em   C   D
Still I look to find a reason to be - lieve.

Instrumental		C	D	Em	D	D	

	C	D	Em	D	D ‖

Verse 3

```
G          D              G
If I listened long enough to you,
        C          D            G
I'd find a way to be - lieve that it's all true.
A              D           C              G
Knowing that you lied straight-faced while I cried,
     Em           C            D
Still I look to find a reason to be - lieve.
```

Freely

Link 1 | D | G | D | G ‖ |

Chorus 2

```
N.C.
Someone like you makes it hard to live without

Somebody else,
                C          D          Em
Someone like you makes it easy to give,
          D
Never think a - bout myself.
```

Chorus 3

```
                C          D              Em
Someone like you makes it hard to live with - out
D
Somebody else,
                C          D          Em
Someone like you makes it easy to give,
          D
Never think a - bout myself.
```

Link 2 | C | D | Em | D ‖ |

Chorus 4
    D   C   D   Em
Someone like you makes it hard to live with - out
    D
Somebody else,

                C   D   Em
Someone like you makes it easy to give,

                 D
Never think a - bout myself.

Chorus 5
                C   D   Em
Someone like you makes it hard to live with - out
    D
Somebody else.

Outro   ‖: C | D | Em | D | D   :‖ *Repeat to fade*

Red Morning Light

Words & Music by Caleb Followill, Nathan Followill & Angelo Petraglia

Intro | B | A G F# | E | E ‖

Verse 1

N.C.   B
You know you could've been a wonder

         E
Taking your circus to the sky

       B
You couldn't take it on the tightrope

       E
No, you had to take it on the side

      B
You always like it under - cover,

         E
Dropped down between your dirty sheets

       B
Oh, no-one's even listenin' to you

A   G F# E
Down between the hollers and the screams.

Chorus 1

        B
I'm not sayin' nothin', I hey, hey

    A   G F# E
Another dirty bird is giving out a taste.

     B
And in the black of the night

    A   G F# E
'Til the red morning light.

                                                 B
Verse 2   You've got your cosy little corner
                                                       E
                   All night you're jamming on your beer
                                               B
                   Hangin' out just like a street sign
                                           E
                   Imported twenty dollar jeans.
                                                 B
                   I hear you're blowin' like a feather
                                             E
                   And then they rub it in your face
                                             B
                   Oh, once they've had all the fun, hon',
                   A   **G**   **F♯**   **E**
                   You're at the bottom of the chase.

                                                     B
Chorus 2   I'm not sayin' nothin', no, hey, hey
                             A   **G**   **F♯** **E**
                   Another dirty bird is giving out a taste
                                       B
                   And in the black of the night
                             A   **G** **F♯** **E**
                   'Til the red morning light.
                                                     B
                   I'm not sayin' nothin', no, hey, hey
                             A   **G**   **F♯**   **E**
                   You're givin' all your cinnamon a - way - ay,
                             B   **A**   **G**   **F♯** **E**
                   That's not right. Aah!

Guitar solo   ‖: **B** | **A G F♯** | **E** | **E**   :‖

                   N.C.
Chorus 3   Hey, hey

                   Another dirty bird is giving out a taste

                   Ah, hey,

                   Keep on givin' away and giving it away.

Well, hey, hey

          You're giving all your cinnamon away,

          Ah, hey hey

          You're giving all your cinnamon away.

Break | B | A   ‖

                             B
Chorus 4   Ah, hey, hey
                             A   G   F♯   E
               Another dirty bird is giving out a taste
                             B
               And in the black of the night
                             A   G   F♯   E
               Til the red morning light.

                                         B
               I'm not sayin' nothin', no, hey, hey
                             A   G   F♯   E
               You're givin' all your cinnamon a - way - ay,
                                   | B | A G F♯| E | E   ‖
               That's not right.

                                         B
Chorus 5   I'm not sayin' nothin', no, hey, hey
                             A   G   F♯   E
               Another dirty bird is giving out a taste
                             B   A   G   F♯ E
               And in the black of the night 'til the red morning light.
                                         B
               I'm not sayin' nothin', no, hey, hey
                             A   G   F♯   E
               You're givin' all your cinnamon a - way - ay.

Outro | B | A G F♯| E | E   ‖

School Of Rock

Words & Music by Mike White & Sammy James Jr.

D	Dsus4	Cadd9	G	E

Intro   ‖: D | Dsus4 | D | Dsus4 :‖ *Play 3 times*

‖: D | Cadd9 | G | Cadd9 :‖

Verse 1

D   Cadd9
Baby we was makin' straight A's,

G   Cadd9
  But we was stuck in the dumb days.

D   Cadd9
  Don't take much to memo - rize your life,

G   Cadd9
  I feel like I've been hyp - notisized.

Pre-chorus 1

       D   Cadd9
And then that magic man, he come to town.

       G   Cadd9
Woo - wee! He done spun my head around.

          D   Cadd9   G
He said, "Re - cess is in session, two and two make five."

And now baby oh, I'm alive.

Oh yeah!

I - I'm alive.

Chorus 1

         D   **E**
And if you wanna be the teacher's pet,

    G   **D**
Well, baby you just better for - get it.

D   **E**
   Rock got no reason, rock got no rhyme.

G
   You better get me to school on time.

Ah yeah,

Yeah!

Guitar solo　‖: D　| Cadd⁹ | G　| Cadd⁹ :‖

Verse 2

        D   **Cadd⁹**
Oh you know I was on the honour roll.

G   **Cadd⁹**
   Got good grades, ain't got no soul.

D   **Cadd⁹**
   Raised my hand before I could speak my mind.

G   **Cadd⁹**
   I'd been biting my tongue too many times.

Pre-chorus 2

        D   **Cadd⁹**
And then that magic man said to obey (Uh-huh)

         G   **Cadd⁹**
"Do what magic man do. Not what magic man say."

D   **Cadd⁹**
   Now can I please have the at - tention of the class.

G
   Today's assignment

A-hem,

Kick some ass!

Chorus 2

          D   **E**
And if you wanna be the teacher's pet,

    G   **D**
Well, baby you just better for - get it.

D   **E**
  Rock got no reason, Rock got no rhyme,

G
  You better get me to school on time.

          D   **E**
And if you wanna be the teacher's pet,

    G   **D**
Well, baby you just better for - get it.

D   **E**
  Rock got no reason, rock got no rhyme,

G
  You better get me to school on time.

All right!

Yeah!

Instrumental ‖: D | Dsus⁴ | D | Dsus⁴ :‖ *Play 3 times*

                           ‖: D | Cadd⁹ | G | Cadd⁹ :‖

Verse 3

D **Cadd⁹**
  This is my final exam.

G   **Cadd⁹**
  Now, y'all know who I am.

D   **Cadd⁹**
  I might not be that perfect son.

G   **Cadd⁹**
  But you'll be rockin' when I'm done.

Outro | D | Cadd⁹ | G | Cadd⁹ |

             | D | Cadd⁹ | G | Cadd⁹ ‖

             | D | Cadd⁹ | G | Cadd⁹ |

             | D | Cadd⁹ | G | G | G | G ‖

             | D | D | Cadd⁹ | Cadd⁹ |

             | G | G | G | G | G ‖

The Scientist

Words & Music by Guy Berryman, Chris Martin, Jon Buckland & Will Champion

Dm7   **B♭**   **F**   **C/F**   **C**

Intro   ‖: Dm7 | B♭ | F | F :‖

Verse 1

Dm7   **B♭**
    Come up to meet you,
            F
Tell you I'm sorry,

You don't know how lovely you are.
Dm7   **B♭**
    I had to find you,
        F
Tell you I need you,
              C/F
Tell you I'll set you apart.
Dm7   **B♭**
    Tell me your secrets,
           F
And ask me your questions,
             C/F
Oh let's go back to the start.
Dm7   **B♭**
    Running in circles,
        F
Coming up tails,
             C/F
Heads on a silence apart.

Chorus 1

B♭
    Nobody said it was easy,
F
    It's such a shame for us to part.
B♭
    Nobody said it was easy,

	F C/F C
cont.	No-one ever said it would be this hard.

(F)
Oh, take me back to the start.

Link | F | B♭ | F | F | F | B♭ | F | F ‖

Dm7   **B♭**

Verse 2   I was just guessing
F
At numbers and figures,

Pulling your puzzles apart.
Dm7   **B♭**
Questions of science,
F
Science and progress,

Do not speak as loud as my heart.
Dm7   **B♭**
Tell me you love me,
F
Come back and haunt   me,

Oh, and I rush to the start.
Dm7   **B♭**
Running in circles,
F
Chasing our tails,

Coming back as we are.

B♭
Chorus 2   Nobody said it was easy,
F
Oh, it's such a shame for us to part.
B♭
Nobody said it was easy,
F   **C/F**   **C**
No-one ever said it would be so hard.
C/G   **(F)**
I'm going back to the start.

Instrumental | F | B♭ | F | F | Dm7 | B♭ | F | F ‖

142

Outro

Dm⁷	B♭	F		F	

Ooh_____

Dm⁷	B♭	F		F	

Ah ooh_____

Dm⁷	B♭	F		F	

Oh ooh_____

Dm⁷   B♭   𝄐
                F

Oh ooh.

The Sound Of Silence

Words & Music by Paul Simon

Capo sixth fret

Intro | **Asus²** ‖

Verse 1

Asus²   **G**
   Hello, darkness, my old friend,

                             Asus²
I've come to talk with you again,

                   F   **C**
Because a vision softly creeping

               F   **C**
Left its seeds while I was sleeping

     F
And the vision

                 C
That was planted in my brain

             G **Am**
Still remains

C   **G**   **Asus²**   **Am**
   Within the sound of silence.

N.C.   **G**
In restless dreams I walked alone
                  Am
Narrow streets of cobblestone.
           F   **C**   **G C**
Beneath the halo of a street lamp
              F   **C**   **G C**
I turned my collar to the cold and damp
     F
When my eyes were stabbed
           C
By the flash of a neon light
         G **Am**
That split the night
C   **G**   **Am**
  And touched the sound of silence.

               G
And in the naked light I saw
              Am
Ten thousand people, maybe more:
         F   **C**   **G C**
People talking without speaking,
         F   **C**   **G C**
People hearing without listening,
      F   **C**
People writing songs that voices never share
        G **Am**
And no-one dare
C   **G**   **Am**
  Disturb the sound of silence.

Verse 4

                                           G
"Fools," said I, "You do not know

                         Am
Silence like a cancer grows.

                     F   **C**
Hear my words that I might teach you,

                    F   **C**
Take my arms that I might reach you."

        F   **C** **G** **Am**
But my words like silent raindrops fell,

      C   **G**   **Am**
And echoed in the wells of silence.

Verse 5

                            G
And the people bowed and prayed

                     Am
To the neon god they made.

                   F   **C**   **G** **C**
And the sign flashed out its warning

                   F   **C**   **G** **C**
In the words that it was forming,

                        F
And the sign said, "The words of the prophets

                      C
Are written on the subway walls

                  G **Am**
And tenement halls,

      C   **G**   **Asus2**
And whispered in the sounds of silence."

Sultans Of Swing

Words & Music by Mark Knopfler

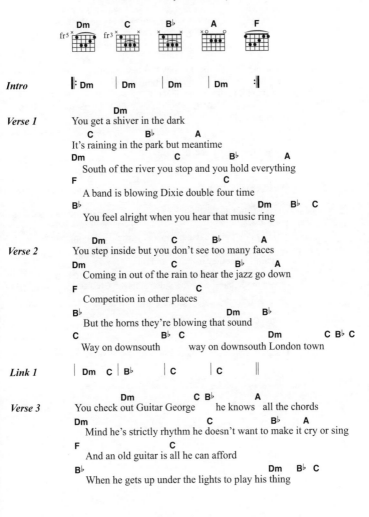

Intro　‖: Dm ｜ Dm ｜ Dm ｜ Dm :‖

Verse 1

Dm
You get a shiver in the dark

C　　　　B♭　　　A
It's raining in the park but meantime

Dm　　　　　　　C　　　　B♭　　　　A
　South of the river you stop and you hold everything

F　　　　　　　　　　　C
　A band is blowing Dixie double four time

B♭　　　　　　　　　　　　　　　Dm　　B♭　C
　You feel alright when you hear that music ring

Verse 2

Dm　　　　　　　C　　B♭　　　　A
You step inside but you don't see too many faces

Dm　　　　　　　C　　　　B♭　　　　A
　Coming in out of the rain to hear the jazz go down

F　　　　　　　　　　　C
　Competition in other places

B♭　　　　　　　　　　　Dm　　B♭
　But the horns they're blowing that sound

C　　　　　　　B♭　C　　　　　　Dm　　　　　C B♭ C
　Way on downsouth　　way on downsouth London town

Link 1　｜ Dm　C ｜ B♭ ｜ C ｜ C ‖

Verse 3

Dm　　　　　　C B♭　　A
You check out Guitar George　he knows　all the chords

Dm　　　　　　　　　C　　　　B♭　　A
　Mind he's strictly rhythm he doesn't want to make it cry or sing

F　　　　　　　C
　And an old guitar is all he can afford

B♭　　　　　　　　　　　　　　Dm　　B♭ C
　When he gets up under the lights to play his thing

Verse 4

```
     Dm                   C      Bb          A
        And Harry doesn't mind if he doesn't   make the scene
     Dm                  C         Bb         A
        He's got a day-time job, he's doing al - right
     F                                    C
        He can play the honky-tonk just like anything
     Bb                          Dm   Bb  C
        Saving it up for Friday night
                      Bb  C                    Dm   C   Bb  C
     With the Sultans        with the Sultans of Swing
```

Link 2

```
| Dm  C | Bb      | C      | C      ||
```

Verse 5

```
        Dm                        C        Bb       A
     And a crowd of young boys they're fooling a - round in the corner
     Dm                         C          Bb           A
        Drunk and dressed in their best brown baggies and their platform sole
     F                                   C
        They don't give a damn about any trumpet playing band
     Bb                        Dm     Bb
        It ain't what they call rock and roll
     C                   Bb  C        Dm   C   Bb  C
        And the Sultans       the Sultans played Creole
```

Link 3

```
| Dm  C | Bb      | C      | C      ||
```

Guitar solo 1

```
||: Dm     | C   Bb | A      | A      :|

   | F      | F      | C      | C      |

   | Bb     | Bb     | Dm     | Dm  Bb |

   | C      | C   Bb | C      | C      |

||: Dm  C | Bb      | C      | C      :|
```

148

Verse 6

```
Dm                        C          B♭        A
   And then the man he steps right up to the microphone
Dm          C              B♭        A
   And says at last just as the time bell rings
F                              C
   'Thank you goodnight, now it's time to go home'
B♭                                  Dm      B♭
   And he makes fast with one more thing
C                    B♭  C                      Dm  C  B♭  C
   'We are the Sultans     we are the Sultans of Swing'
```

Link 4 | Dm C | B♭ | C | C   ‖

Guitar solo 2 ‖: Dm C | B♭ | C | C   :‖ *Play 8 times to fade*

Sharp Dressed Man

Words & Music by Billy Gibbons, Dusty Hill & Frank Beard

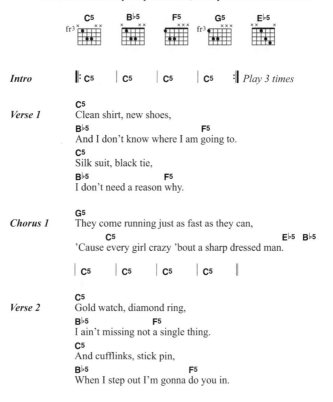

Intro ‖: C5 | C5 | C5 | C5 :‖ *Play 3 times*

Verse 1
C5
Clean shirt, new shoes,
B♭5   F5
And I don't know where I am going to.
C5
Silk suit, black tie,
B♭5   F5
I don't need a reason why.

Chorus 1
G5
They come running just as fast as they can,
            C5   E♭5   B♭5
'Cause every girl crazy 'bout a sharp dressed man.

| C5 | C5 | C5 | C5 ‖

Verse 2
C5
Gold watch, diamond ring,
B♭5   F5
I ain't missing not a single thing.
C5
And cufflinks, stick pin,
B♭5   F5
When I step out I'm gonna do you in.

Chorus 2
G5
They come running just as fast as they can,
C5   E♭5   B♭5
'Cause every girl crazy 'bout a sharp dressed man.

Instrumental 1 ‖: C5 | C5 | C5 | C5 :‖ *Play 4 times*

| C5 | C5 | C5 | C5 B♭5 G5 |

| F5 | F5 | C5 | B♭5   G5 |

‖: C5 | C5 | C5 | C5 :‖

Verse 3
C5
A top coat, top hat,
B♭5   F5
And I don't worry 'cause my wallet's fat.
C5
Black shades, white gloves,
B♭5
Lookin' sharp and looking for love.

Chorus 3
G5
They come running just as fast as they can,
C5   E♭5   B♭5
'Cause every girl crazy 'bout a sharp dressed man.

Instrumental 2 ‖: C5 | C5 | C5 | C5 :‖ *Play 5 times*

‖: F5 | F5 | F5 | F5 |

| C5 | C5 | C5 | C5 :‖ *Repeat to fade*

She Bangs The Drums

Words & Music by Ian Brown & John Squire

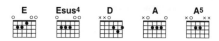

E	Esus⁴	D	A	A⁵

Intro ‖: E | E   Esus⁴ :‖ *Play 4 times*

Verse 1
E   Esus⁴ E
I can feel the earth begin to move,
                    Esus⁴ D
I hear my needle hit the groove.

And spiral through another day,
                         E
I hear my song begin to say:
                  Esus⁴   E
"Kiss me where the sun don't shine,
                        Esus⁴   D
The past was yours but the future's mine,

You're all out of time."

Verse 2
E   Esus⁴ E
I don't feel too steady on my feet,
                  Esus⁴ D
I feel hollow, I feel   weak.

Passion fruit and Holy bread
                              E
Fill my guts and ease my head.
                  Esus⁴   E
Through the early morning sun
                  Esus⁴   D
I can see her, here she comes,

She bangs the drums.

Chorus 1

A   D   A
Have you seen her, have you heard?
         D   A
The way she plays, there are no words
       D   E
To describe the way I feel.
A   D   A
How could it ever come to pass?
       D   A
She'll be the first, she'll be the last
       D   E
To describe the way I feel, the way I feel.

Instrumental

‖: A5 | A5 | E | E   :‖

| E | E | E | E |

| D | D | D | D |

| E | E | E | E |

| D | D | D | D   E ‖

Chorus 2   As Chorus 1

Chorus 3   As Chorus 1

Outro

‖: A | D | A | D |

| A | D | E | E   :‖ *Repeat to fade*

Should I Stay Or Should I Go

Words & Music by Mick Jones & Joe Strummer

D   G   F   A   A⁷

Intro | D G | D N.C. | D G | D N.C. | D G | D | D G ‖

Verse 1

D N.C.   **D G D**
    Darling you got to let me know:

N.C.   **D G D**
Should I stay or should I go?

N.C.   **G F G**
If you say that you are mine

N.C.   **D G D**
I'll be here 'til the end of time.

N.C.   **A A⁷**
So you got to let me know:

N.C.   **D G D**
Should I stay or should I go?

Verse 2

N.C.   **D G D**
It's always tease, tease, tease;

N.C.   **D G D**
You're happy when I'm on my knees.

N.C.   **G F G**
One day is fine, the next is black,

N.C.   **D G D**
So if you want me off your back,

N.C.   **A A⁷**
Well, come on and let me know:

N.C.   **D G D**
Should I stay or should I go?

Chorus 1

N.C.   **D**   **G D**
Should I stay or should I go now?

                           G D
Should I stay or should I go now?

              G   **F G**
If I go there will be trouble,

                                    D   G D
cont.   And if I stay it will be double.
                                    A   D G │ D   ‖
                 So come on and let me know.

                 N.C.   **D   G   D**
Verse 3   This indecision's bugging me   (esta undecision me molesta);
                 N.C.   **D   G   D**
                 If you don't want me, set me free (si no me quieres, librame).
                 N.C.   **G   F   G**
                 Exactly who am I'm supposed to be? (Digame que tengo ser).
                 N.C.   **D**
                 Don't you know which clothes even fit me?
                       G   D
                 (¿Saves que robas me queurda?)
                 N.C.   **A**   **A7**
                 Come on and let me know__ (me tienes que desir)
                 N.C.   **D   G   D**
                 Should I cool it or should I blow? (¿Me debo ir o quedarme?)

Instrumental   │ **D   G**   │ **D   N.C.** │ **D   G** │ **D   N.C.** │ **G   F** │ **G   N.C.** │

                 │ **D   G**   │ **D   N.C.** │ **A** │ **A7** │ **D   G** │ **D   N.C.** ‖

                 N.C.   **D   G   D**
Chorus 2   Should I stay or should I go now? (¿Yo me frio o lo sophlo?)
                                    D   G   D
                 Should I stay or should I go now? (¿Yo me frio o lo sophlo?)
                       G   F   G
                 If I go there will be trouble (si me voy va ver peligro),
                                    D   G   D
                 And if I stay it will be double (si me quedo es doble).
                                    A
                 So you gotta let me know (me tienes que decir):
                                    D   G   D
                 Should I cool it or should I blow? (¿Yo me frio o lo sophlo?)

                                         G   D
Chorus 3   Should I stay or should I go now? (¿Yo me frio o lo sophlo?)
                       G   F   G
                 If I go there will be trouble (si me voy va ver peligro),
                                    D   G   D
                 And if I stay it will be double (si me quedo es doble).
                       A
                 So you gotta let me know (me tienes que decir):
                       G   D
                 Should I stay or should I go?

                 155

Solitary Man

Words & Music by Neil Diamond

Capo third fret

Intro | Em | Em | Em | Em G ‖

Verse 1
Em   Am   G   Em
Melinda was mine, 'til the time that I found her
G   Am G   Am
Holding Jim,   and lovin' him.
Em   Am   G
Then Sue came a - long, loved me strong
           Em G   Am G   Am
That's what I thought,   me and Sue, but that died too.

Chorus 1
    G   C   G   D
Don't know that I will, but un - til I can find me
      C   G   D
A girl who'll stay and won't play games be - hind me,
        Em D   Em D   Em
I'll be what I am,   a solitary man,   a solitary man.

Verse 2
           Am   G   Em
I've had it to here being where love's a small word,
G   Am G   Am
A part time thing,   a paper ring.
Em   Am   G   Em
I know it's been done, having one   girl who'll love me,
G   Am G   Am
Right or wrong,   weak or strong.

	G C G D
Chorus 2	Don't know that I will, but un - til I can find me

                        C   G   D
The girl who'll stay and won't play games be - hind me,

                    Em D   Em D   Em
I'll be what I am,   a solitary man,   a solitary man.

Instrumental ‖:Em | Am :‖

	G C G D
Chorus 3	Don't know that I will, but un - til love can find me

                        C   G   D
And the girl who'll stay, and won't play games be - hind me,

                    Em D   Em D   Em
I'll be what I am,   a solitary man,   a solitary man,

D   Em
A solitary man.

Sound And Vision

Words & Music by David Bowie

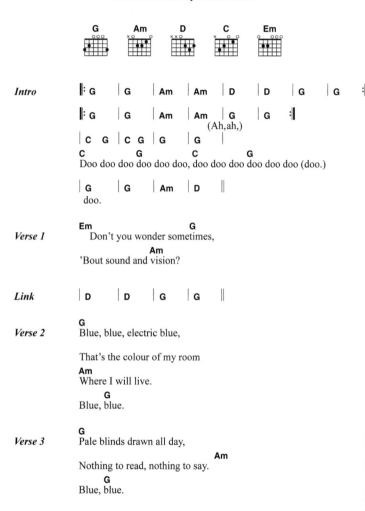

Intro   ‖: G | G | Am | Am | D | D | G | G :‖

‖: G | G | Am | Am | G | G :‖
                          (Ah,ah,)

| C G | C G | G | G |

C   G   C   G
Doo doo doo doo doo doo, doo doo doo doo doo doo (doo.)

| G | G | Am | D ‖
doo.

Verse 1

Em   G
   Don't you wonder sometimes,

                        Am
'Bout sound and vision?

Link | D | D | G | G ‖

Verse 2

G
Blue, blue, electric blue,

That's the colour of my room

Am
Where I will live.

      G
Blue, blue.

Verse 3

G
Pale blinds drawn all day,

                                    Am
Nothing to read, nothing to say.

      G
Blue, blue.

	C G
Chorus	I will sit right down,

C   G
Waiting for the gift of sound and vision,

    C   G
And I will sing,

C   G
Waiting for the gift of sound and vision.

           Am
Verse 4   Drifting into my solitude,

D   Em
   Over my head.

             G
Don't you wonder sometimes

        Am
'Bout sound and vision?

Coda | D | D | G | G | G   ‖ *To fade*

Stop Your Sobbing

Words & Music by Ray Davies

Dsus² Asus² Esus⁴ E Bm¹¹/F♯

Capo third fret

Verse 1

N.C.   Dsus²
It is time for you to stop all of your sobbing,

Asus²   Esus⁴   E
Yes it's time for you to stop all of your sobbing, oh-oh.

Dsus²   E
There's one thing you gotta do

Dsus²   E
To make me still want you:

N.C.   Asus²
Gotta stop sobbing now oh, gotta stop sobbing now,

Dsus²   Asus²   E
Yeah, yeah, stop it, stop it, stop it, stop it.

Verse 2

N.C. Asus²   N.C.   Dsus²
It is time   for you to laugh instead of crying;

Asus²   Esus⁴   E
Yes, it's time for you to laugh so keep on trying, oh-oh.

Dsus²   E
There's one thing you gotta do

Dsus²   E
To make me still want you:

N.C.   Asus²
Gotta stop sobbing now oh, gotta stop sobbing now,

Dsus²   Asus²
Yeah, yeah, stop it, stop it, stop it, stop it.

Bridge

E   Dsus²   E
Each little tear that falls from your eyes

Bm¹¹/F♯
Makes, makes me want to take you in my arms and tell you

E
To stop all your sobbing.

Instrumental	Asus²	Asus²	Dsus²	Dsus²
	Asus²	Asus²	E	E ‖

Verse 3

       Dsus²   **E**
There's one thing you gotta do
    Dsus²   **E**
To make me still want you,
        Dsus²   **E**
And there's one thing you gotta know
    Dsus²   **E**
To make me want you so.

Coda

N.C.   **Asus²**
Gotta stop sobbing now oh,
                   Dsus²
Gotta stop sobbing now, oh, yeah, yeah.
         Asus²
‖: Stop it, stop it, stop it, stop it.
          Dsus²
Gotta stop sobbing now-oh,

Gotta stop sobbing now-oh. :‖   *Repeat to fade*
                                         with vocal ad lib.

Substitute

Words & Music by Pete Townshend

D   A/D   G/D   Em   A

Intro
| D   A/D | G/D   D | D   A/D | G/D   D |

| D | D | D | D |

Verse 1
D   G/D   D
You think we look pretty good together,
D   G/D   D
You think my shoes are made of leather,

Pre-chorus 1
                Em
But I'm a substitute for another guy,

I look pretty tall but my heels are high.

The simple things you see are all complicated.

                                          A
I look pretty young but I'm just backdated, yeah.

Chorus 1
D   A/D G/D   D
(Substi - tute) lies for the fact:
          A/D   G/D   D
I see right through your plastic mac.
          A/D   G/D   D
I look all white but my Dad was black.
                  A/D   G/D   D
My fine-looking suit is really made out of sack.

Verse 2
D   G/D   D
I was born with a plastic spoon in my mouth,
D   G/D   D
North side of my town faced east and the east was facing south.

Pre-chorus 2   And now you dare to look me in the eye
           Em

But crocodile tears are what you cry.

If it's a genuine problem you won't try

To work it out at all, just pass it by,

A
Pass it by.

Chorus 2
D   **A/D G/D** **D**
(Substi - tute) me for him,
           A/D   **G/D**   **D**
(Substi - tute) my Coke for gin.
           A/D   **G/D** **D**
(Substi - tute) you for my Mum,
            A/D **G/D**   **D**
At least I'll get my washing done.

Solo   ‖: **D** | **G/D** | **D** | **D**   :‖

Pre-chorus 3   As Pre-chorus 1

Link   ‖: **D** **A/D** | **G/D** **D** | **D**   **A/D** | **G/D** **D** :‖

Verse 3   As Verse 2

Pre-chorus 4   As Pre-chorus 2

Chorus 3   As Chorus 2

Chorus 4   As Chorus 1

Take A Chance On Me

Words & Music by Benny Andersson & Björn Ulvaeus

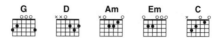

Capo fourth fret

Chorus 1

              G
If you change your mind, I'm the first in line,

Honey, I'm still free,
           D
Take a chance on me.

If you need me, let me know, gonna be around,
                       G
If you got no place to go when you're feeling down.

If you're all alone when the pretty birds have flown,

Honey, I'm still free,
           D
Take a chance on me,

Gonna do my very best and it ain't no lie,
                 G
If you put me to the test, if you let me try.
     Am   **D**
Take a chance on me,
     Am   **D**
Take a chance on me.

Verse 1

Am
We can go dancing, we can go walking,
    G
As long as we're together.
Am
Listen to some music, maybe just talking,
    G
You'd get to know me better.

cont.   'Cause you know I got

   Em
     So much that I wanna do,

   C
     When I dream I'm alone with you,

    Em   **C**   **D**
It's ma - gic.

   Em
     You want me to leave it there,

   C
     Afraid of a love affair,

    Am   **D**
But I think you know

    Am   **D**
That I can't let go.

Chorus 2   As Chorus 1

       Am
Verse 2   Oh you can take your time baby, I'm in no hurry,

   G
I know I'm gonna get you.

Am
You don't wanna hurt me, baby don't worry,

G
I ain't gonna let you.

Let me tell you now,

Em
   My love is strong enough,

C
   To last when things are rough,

   Em   **C**   **D**
It's ma - gic.

Em
   You say that I waste my time,

C
   But I can't get you off my mind,

   Am   **D**
No I can't let go,

    Am   **D**
'Cause I love you so.

Chorus 3   If you change your mind, I'm the first in line,

Honey, I'm still free,

           D
Take a chance on me.

If you need me, let me know, gonna be around,

                        G
If you got no place to go when you're feeling down.

If you're all alone when the pretty birds have flown,

Honey, I'm still free,

           D
Take a chance on me,

Gonna do my very best,

Baby can't you see?

Gotta put me to the test,

     G
Take a chance on me.

Outro   ‖: Ba ba ba ba baa, ba ba ba ba baa,
   G

Honey I'm still free,

           D
Take a chance on me.

Gonna do my very best,

Baby can't you see?

Gotta put me to the test,

     G
Take a chance on me.   :‖   *Repeat to fade*

That's Entertainment

Words & Music by Paul Weller

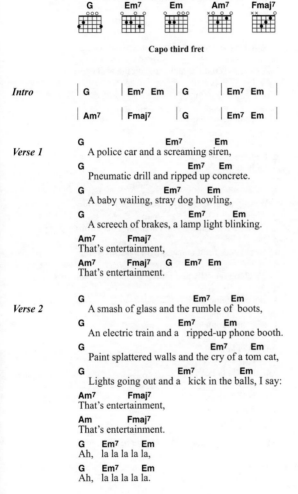

Capo third fret

Intro | G | Em⁷ Em | G | Em⁷ Em |

| Am⁷ | Fmaj⁷ | G | Em⁷ Em |

Verse 1

G   Em⁷   Em
A police car and a screaming siren,

G   Em⁷   Em
Pneumatic drill and ripped up concrete.

G   Em⁷   Em
A baby wailing, stray dog howling,

G   Em⁷   Em
A screech of brakes, a lamp light blinking.

Am⁷   Fmaj⁷
That's entertainment,

Am⁷   Fmaj⁷ G Em⁷ Em
That's entertainment.

Verse 2

G   Em⁷   Em
A smash of glass and the rumble of boots,

G   Em⁷   Em
An electric train and a   ripped-up phone booth.

G   Em⁷   Em
Paint splattered walls and the cry of a tom cat,

G   Em⁷   Em
Lights going out and a   kick in the balls, I say:

Am⁷   Fmaj⁷
That's entertainment,

Am   Fmaj⁷
That's entertainment.

G   Em⁷   Em
Ah,   la la la la la,

G   Em⁷   Em
Ah,   la la la la la.

Verse 3

```
    G                       Em7      Em
    Days of speed and slow time Mondays,

    G                           Em7      Em
    Pissing down with rain on a boring Wednesday.

    G                           Em7      Em
    Watching the news and not eating your tea,

    G                           Em7          Em
    A freezing cold flat and damp on the walls, I say:

    Am7        Fmaj7
    That's entertainment,

    Am7        Fmaj7       G      Em7  Em
    That's entertainment.

    G  Em7      Em
    La la la la la,

    G  Em7      Em
    La la la la la.
```

Verse 4

```
    G                               Em7         Em
    Waking up at six a.m. on a cool warm morning,

    G                       Em7             Em
    Opening the windows and breathing in petrol.

    G                           Em7         Em
    An amateur band rehearsing in a nearby yard,

    G                   Em7                 Em
    Watching the telly and thinking about your holidays.

    Am7        Fmaj7
    That's entertainment,

    Am7        Fmaj7
    That's entertainment.

    G      Em7      Em
    Ah,  la la la la la,

    G      Em7      Em
    Ah,  la la la la la,

    G      Em7      Em
    Ah,  la la la la la,

    Am7  Fmaj7
    Ah,  la la la la la.
```

```
| G          | Em7  Em        |
```

Verse 5

G   Em7   Em
Waking up from bad dreams and smoking cigarettes.

G   Em7   Em
Cuddling a warm girl and smelling stale perfume.

G   Em7   Em
A hot summer's day and sticky black tarmac,

G   Em7   Em
Feeding ducks in the park and wishing you were far away.

Am7   Fmaj7
That's entertainment,

Am7   Fmaj7 G Em7 Em
That's entertainment.

Verse 6

G   Em7   Em
Two lovers kissing amongst the screams of midnight,

G   Em7   Em
Two lovers missing the tranquility of solitude.

G   Em7   Em
Getting a cab and travelling on buses,

G   Em7   Em
Reading the graffiti about slashed seat affairs, I say:

Am7   Fmaj7
That's entertainment,

Am7   Fmaj7
That's entertainment.

Outro

‖: G Em7   Em
Ah,   la la la la la,

G   Em7   Em
Ah,   la la la la la,

G   Em7   Em
Ah,   la la la la la,

Am7 Fmaj7
Ah,   la la la la la.   :‖   *Repeat to fade*

Telegram Sam

Words & Music by Marc Bolan

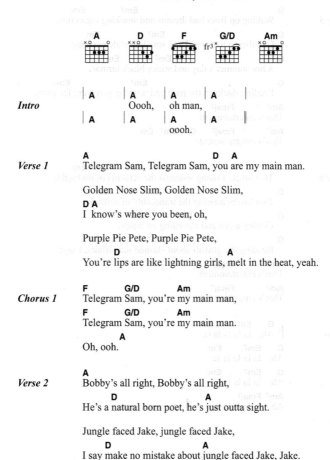

Intro
| A | A | A | A |
        Oooh,   oh man,

| A | A | A | A |
            oooh.

Verse 1
  A
Telegram Sam, Telegram Sam, you are my main man.
                       D A

Golden Nose Slim, Golden Nose Slim,
 D A
I know's where you been, oh,

Purple Pie Pete, Purple Pie Pete,
                D   A
You're lips are like lightning girls, melt in the heat, yeah.

Chorus 1
 F   G/D   Am
Telegram Sam, you're my main man,
 F   G/D   Am
Telegram Sam, you're my main man.
          A
Oh, ooh.

Verse 2
 A
Bobby's all right, Bobby's all right,
        D   A
He's a natural born poet, he's just outta sight.

Jungle faced Jake, jungle faced Jake,
      D   A
I say make no mistake about jungle faced Jake, Jake.

Chorus 2

  F   G/D   Am
Telegram Sam, you're my main man,

  F   G/D   Am
Telegram Sam, you're my main man.

  A
    Samson and Christoph, what a pair!

| A | A | A | A ‖

Verse 3

  A
Bobby's all right, Bobby's all right,

      D   A
He's a natural born poet, he's just outta sight.

Automatic shoes, automatic shoes,

       D   A
Give me 3D-vision and the California Blues.

And me I funk but I don't care,

   D   A
I ain't no square with my corkscrew hair.

Chorus 3

  F   G/D   Am
Telegram Sam, you're my main man,

  F   G/D   Am
Telegram Sam, you're my main man,

  F   G/D   Am
Telegram Sam, you're my main man.

| A | A | A | A ‖
Oh,   do-do do- do do-do, oh.

Outro

‖: A | A | A | A :‖
        Telegram Sam,   *Repeat ad lib. to fade*

Thank U

Words by Alanis Morissette
Music by Alanis Morissette & Glen Ballard

Cmaj7   G   Fadd2   F   F/G

Intro
| Cmaj7 | Cmaj7 | G | Fadd2 ‖

Verse 1

Cmaj7   G   Fadd2
How 'bout getting off o' these antibio - tics?

Cmaj7   G   Fadd2
How 'bout stopping eating when I'm full up?

Cmaj7   G   Fadd2
How 'bout them transparent dangling carrots?

Cmaj7   G   Fadd2
How 'bout that ever elusive ku - do?

Chorus 1

              Cmaj7
Thank you India, thank you terror;

         G   F
Thank you dis - illusionment.

        F/G   Cmaj7
Thank you frailty, thank you consequence;

       G   F
Thank you, thank you silence.

Verse 2

Cmaj7   G   Fadd2
How 'bout me not blaming you for ev'ry - thing?

Cmaj7   G   Fadd2
How 'bout me enjoying the moment for once?

Cmaj7   G   Fadd2
How 'bout how good it feels to fin'lly forgive you?

Cmaj7   G   Fadd2
How 'bout grieving it all one at a time?

Chorus 2   As Chorus 1

Middle

Cmaj7
The moment I let go of it

       G   F   F/G
Was the mo - ment I got more than I   could handle.

     Cmaj7
The moment I jumped off of it

       G   F
Was the mo - ment I touched down.

Verse 3

Cmaj7   G   Fadd2
How 'bout no longer being masochis - tic?

Cmaj7   G   Fadd2
How 'bout remembering your divinity?

Cmaj7   G   Fadd2
How 'bout unabashedly bawling your eyes out?

Cmaj7   G   Fadd2
How 'bout not equating death with stopping?

Chorus 3

        Cmaj7
Thank you India, thank you providence;

     G   F
Thank you dis - illusionment.

      F/G   Cmaj7
Thank you no - thingness, thank you clarity;

     G   F
Thank you, thank you silence.   *Ad lib. vocal to fade*

To Love Somebody

Words & Music by Barry Gibb & Robin Gibb

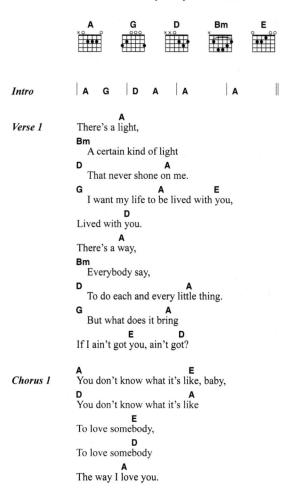

Intro | A G | D A | A | A ||

Verse 1
　　　　　　　　A
There's a light,
Bm
　A certain kind of light
D　　　　　　　**A**
　That never shone on me.
G　　　　　　**A**　　　**E**
　I want my life to be lived with you,
　　　　　　　　D
Lived with you.
　　　　　　A
There's a way,
Bm
　Everybody say,
D　　　　　　　　　　**A**
　To do each and every little thing.
G　　　　　　　**A**
　But what does it bring
　　　　　　E　　　　**D**
If I ain't got you, ain't got?

Chorus 1
A　　　　　　　　　　　　　**E**
You don't know what it's like, baby,
D　　　　　　　　　　　**A**
You don't know what it's like
　　　　　　　E
To love somebody,
　　　　　　　D
To love somebody
　　　　　　A
The way I love you.

| *Link* | | A   G | D   A | A | A | ‖ |

Verse 2

    A
In my brain
Bm
  I see your face again,
D   **A**
  I know my frame of mind.
G   **A**
  You ain't got to be so blind,
     E   **D**
And I'm blind, so, so, so very blind.
 A
I'm a man,
Bm
  Can't you see what I am?
D   **A**
  I live and I breathe for you,
G   **A**
  But what good does it do
     E   **D**
If I ain't got you, ain't got?

Chorus 2

‖: **A**   **E**
  You don't know what it's like, baby,
D   **A**
You don't know what it's like
     E
To love somebody,
     D
To love somebody
   A   **E**
The way I love you.   :‖ *Repeat to fade*

What I Am

Words & Music by Edie Brickell, Kenneth Withrow,
John Houser, John Bush & Brandon Aly

| Bsus² | Dsus² | Asus² | Em | D |

Intro ‖: Bsus² │ Dsus² │ Asus² │ Bsus² :‖

Verse 1

Bsus²   Dsus²
I'm not aware of too many things,

   Asus²   Bsus²
I know what I know if you know what I mean.

│ Bsus² │ Dsus² │ Asus² │ Bsus² │

Bsus²   Dsus²
I'm not aware of too many things,

   Asus²   Bsus²
I know what I know if you know what I mean.

│ Bsus² │ Dsus² │ Asus² │ Bsus² ‖

Verse 2

     Bsus² Dsus² Asus²   Bsus²
Philosophy   is the talk on a cereal box,

       Dsus² Asus²   Bsus²
Religion   is the smile on a dog.

Bsus²   Dsus²
I'm not aware of too many things,

   Asus²   Bsus²
I know what I know if you know what I mean.

│ Bsus² │ Dsus² │ Asus² │ Bsus² ‖

Pre-chorus 1

Em   D
Choke me in the shallow water

   Em   D
Before I get too deep.

Chorus 1
Bsus²　　**Dsus²**
What I am is what I am.

　　　　Asus²　　　　　**Bsus²**
Are you what you are or what?

Bsus²　　**Dsus²**
What I am is what I am.

　　　　Asus²　　　　　**Bsus²**
Are you what you are or what?

Verse 3
Bsus²　　　　**Dsus²**
I'm not aware of too many things,

　Asus²　　　　　　　**Bsus²**
I know what I know if you know what I mean.

| **Bsus²**　| **Dsus²**　| **Asus²**　| **Bsus²**　|

　　Bsus² Dsus² Asus²　　　　**Bsus²**
Philosophy　　　　　is a walk on the slippery rocks,

　　　　Dsus² Asus²　　　**Bsus²**
Religion　is a　light in the fog.

Bsus²　　　　**Dsus²**
I'm not aware of too many things,

　Asus²　　　　　　　**Bsus²**
I know what I know if you know what I mean.

| **Bsus²**　| **Dsus²**　| **Asus²**　| **Bsus²**　‖

Pre-chorus 2
‖: **Em**　　　　　**D**
　Choke me in the shallow water

　Em　　　　**D**
Before I get too deep. :‖

Chorus 2
Bsus²　　**Dsus²**
What I am is what I am.

　　　　Asus²　　　　**Bsus²**
Are you what you are or what?

Bsus²　　**Dsus²**
What I am is what I am.

　　　　Asus²　　　　　**Bsus²**
Are you what you are or what?

Bsus²　　**Dsus²**
What I am is what I am.

　　　　Asus²　　　　**Bsus²**
Are you what you are or what you are?

Bsus²　　**Dsus²**
What I am is what I am.

　　　　Asus²　　　　**Bsus²**
Are you what you are or　what?

| | **Em**   **D** |
| **Middle** | Ha, la la la, |

| | **Em** |
| | I say, I say, I say. |

| | **D** |
| | I do, hey, hey, hey, hey hey. |

Guitar Solo 𝄆 **Bsus²** | **Dsus²** | **Asus²** | **Bsus²** 𝄇 *Play 8 times*

Pre-chorus 3 As Pre-chorus 2

| | **Bsus²**   **Dsus²** |
| **Verse 4** | Choke me in the shallow water |

| | **Asus²**   **Bsus²** |
| | Before I get too deep. |

| | **Bsus²**   **Dsus²** |
| | Choke me in the shallow water |

| | **Asus²**   **Bsus²** |
| | Before I get too deep. |

| | **Bsus²**   **Dsus²** |
| | Choke me in the shallow water |

| | **Asus²**   **Bsus² Dsus² Asus²** |
| | Before I get too   deep. |

| | **Bsus²** |
| | Don't let me get too deep. |

| | **Dsus²**   **Asus²** |
| | Don't let me get too deep. |

| | **Bsus²** |
| | Don't let me get too deep. |

| | **Dsus²**   **Asus² Bsus²** |
| | Don't let me get too deep. |

Chorus 3 𝄆 As Chorus 2 𝄇 *Repeat to fade*

You Wear It Well

Words & Music by Rod Stewart & Martin Quittenton

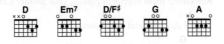

D   Em⁷   D/F#   G   A

Intro $\frac{6}{4}$ ‖: D $\frac{4}{4}$ | Em⁷ | Em⁷ |

          $\frac{6}{4}$ | Em⁷ D/F# G $\frac{4}{4}$| A | A   :‖

Verse 1
                    G
I had nothing to do on this hot afternoon,
          A   **D**
But to settle down and write you a line.
               G
I've been meaning to phone you, but from Minnesota,
   A   **D**
Hell, it's been a very long time.

Chorus 1
             A
You wear it well,
   Em⁷   **D/F#**
A little old fashioned but that's all right.

Verse 2
               G
Well I sup - pose you're thinking I bet he's sinking,
        A   **D**
Or he wouldn't get in touch with me.
          G
Oh I ain't begging or losing my head,
  A   **D**
I sure do want you to know,

Chorus 2
                A
That you wear it well,
  Em⁷   **D/F#**   **G**   **A**
There ain't a lady in the land so fine, oh my.

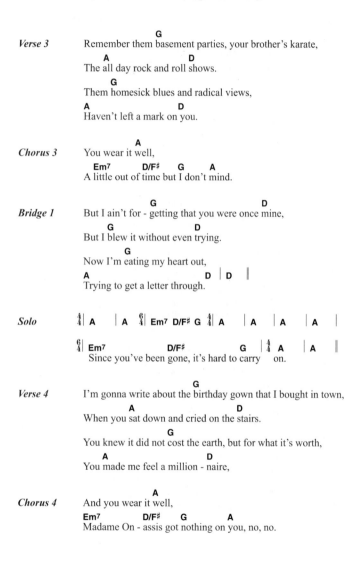

Verse 3
                           G
Remember them basement parties, your brother's karate,
             A   D
The all day rock and roll shows.

           G
Them homesick blues and radical views,
    A   D
Haven't left a mark on you.

Chorus 3
               A
You wear it well,
    Em7   D/F♯   G   A
A little out of time but I don't mind.

Bridge 1
                  G   D
But I ain't for - getting that you were once mine,
            G   D
But I blew it without even trying.
               G
Now I'm eating my heart out,
    A   D | D ‖
Trying to get a letter through.

Solo
    4/4| A | A 6/4| Em7 D/F♯ G 4/4| A | A | A | A |
    6/4| Em7   D/F♯   G | 4/4 A | A ‖
      Since you've been gone, it's hard to carry   on.

Verse 4
                          G
I'm gonna write about the birthday gown that I bought in town,
              A   D
When you sat down and cried on the stairs.
                   G
You knew it did not cost the earth, but for what it's worth,
          A   D
You made me feel a million - naire,

Chorus 4
               A
And you wear it well,
    Em7   D/F♯   G   A
Madame On - assis got nothing on you, no, no.

What Makes You Think
You're The One

                 G

Verse 5   Anyway, my coffee's cold and I'm getting told,

               A   **D**

             That I gotta get back to work.

                 G

             So when the sun goes low and you're home all alone,

             A   **D**

             Think of me and try not to laugh,

                     A

Chorus 5   And I wear it well,

             Em⁷   **D/F♯**   **G**   **A**

             I don't ob - ject if you call col - lect.

                         G   **D**

Bridge 2   'Cause I ain't for - getting that you were once mine,

              G   **D**

             But I blew it without even trying.

               G

             Now I'm eating my heart out,

             A

             Trying to get back to you.

Outro $\frac{6}{4}$‖: D $\frac{4}{4}$| Em⁷ | Em⁷ $\frac{6}{4}$| Em⁷ D/F♯ G $\frac{4}{4}$| A | A   ‖

       | Em⁷ | Em⁷ $\frac{6}{4}$| Em⁷ D/F♯ G |

       I love you, I love you, I love you, I love you,

       $\frac{4}{4}$| A | A $\frac{6}{4}$| D $\frac{4}{4}$| Em⁷ | Em⁷ $\frac{6}{4}$| Em⁷ D/F♯ G |

               Oh yeah.

       $\frac{4}{4}$| A | A $\frac{6}{4}$| D $\frac{4}{4}$| Em⁷ | Em⁷ ‖

                After all the years I hope it's the same ad - dress,

       $\frac{6}{4}$| Em⁷ D/F♯ G $\frac{4}{4}$| A | A   ‖

       $\frac{6}{4}$| D $\frac{4}{4}$| Em⁷ | Em⁷ ‖

       Since you've been gone, it's hard to carry on.

       $\frac{6}{4}$| Em⁷ D/F♯ G $\frac{4}{4}$| A | A   :‖ *Repeat to fade*

What Makes You Think You're The One

Words & Music by Lindsey Buckingham

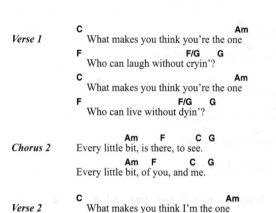

| | C | Am | F | F/G | G |

Verse 1

C   Am
What makes you think you're the one

F   F/G   G
Who can laugh without cryin'?

C   Am
What makes you think you're the one

F   F/G   G
Who can live without dyin'?

Chorus 2

            Am   F   C   G
Every little bit, is there, to see.

            Am   F   C   G
Every little bit, of you, and me.

Verse 2

C   Am
What makes you think I'm the one

F   F/G   G
Who'll be there when you're callin'?

C   Am
What makes you think I'm the one

F   F/G   G
Who will catch you when you're fallin'?

Chorus 2   As Chorus 1

Verse 3

```
C                              Am
   What makes you think I'm the one
F                       F/G   G
   Who will love you for - ever?
C                              Am
   Everything you do has been done,
F                    F/G   G
   And it won't last for- ever.
```

Chorus 3   As Chorus 1

Outro

| C | Am | F | F/G G |

| C | Am | F | F/G G |

| C | Am | F | F/G G ‖

‖: C | F G :‖ *Play 10 times*

| C ‖

When You're Gone

Words & Music by Bryan Adams & Eliot Kennedy

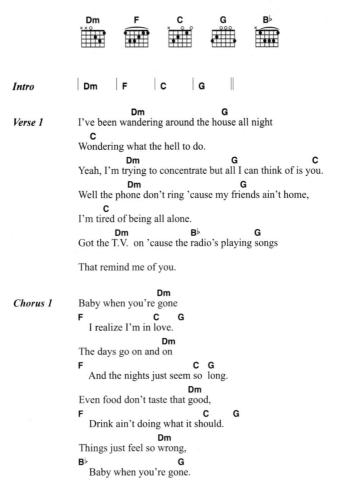

Dm	**F**	**C**	**G**	**B♭**

Intro | Dm | F | C | G   ‖

Verse 1
              Dm   **G**
I've been wandering around the house all night
  C
Wondering what the hell to do.
           Dm   **G**   **C**
Yeah, I'm trying to concentrate but all I can think of is you.
        Dm   **G**
Well the phone don't ring 'cause my friends ain't home,
   C
I'm tired of being all alone.
       Dm   **B♭**   **G**
Got the T.V. on 'cause the radio's playing songs

That remind me of you.

Chorus 1
                  Dm
Baby when you're gone
F   **C**   **G**
  I realize I'm in love.
              Dm
The days go on and on
F   **C** **G**
  And the nights just seem so long.
               Dm
Even food don't taste that good,
F   **C**   **G**
  Drink ain't doing what it should.
            Dm
Things just feel so wrong,
B♭   **G**
  Baby when you're gone.

Verse 2

         Dm   **G**
I've been driving up and down these streets
  C
Trying to find somewhere to go.
       Dm   **G**   **C**
Yeah, I'm looking for a familiar face but there's no one I know.
    Dm   **G**
Ah, this is torture, this is pain,
  C
It feels like I'm gonna go insane.
    Dm   **B♭**
I hope you're coming back real soon,
        G
'Cause I don't know what to do.

Chorus 2   As Chorus 1

Solo   ‖: **Dm**   │ **G**   │ **C**   │ **C**   :‖ *Play 3 times*

         │ **Dm** │ **B♭** │ **G**   │ **G** ‖

Chorus 3

             Dm
Baby when you're gone
F   **C**   **G**
  I realize I'm in love.
              Dm
The days go on and on
F   **C** **G**
  And the nights just seem so long.
              Dm
Even food don't taste that good,
F   **C** **G**
  Drink ain't doing what it should.
             Dm
Things just feel so wrong,
B♭   **G**
  Baby when you're gone.
             Dm
Baby when you're gone,
B♭   **F**
  Yeah, baby when you're gone.

White Riot

Words & Music by Mick Jones, Joe Strummer,
Paul Simonon & Topper Headon

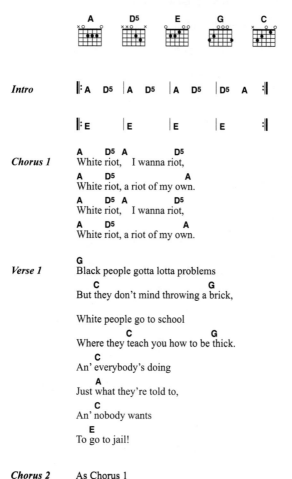

Intro   ‖: A   D5 | A   D5 | A   D5 | D5   A :‖

‖: E | E | E | E   :‖

Chorus 1
A   D5 A   D5
White riot,   I wanna riot,
A   D5   A
White riot, a riot of my own.
A   D5 A   D5
White riot,   I wanna riot,
A   D5   A
White riot, a riot of my own.

Verse 1
G
Black people gotta lotta problems
    C   G
But they don't mind throwing a brick,

White people go to school
               C   G
Where they teach you how to be thick.
    C
An' everybody's doing
    A
Just what they're told to,
    C
An' nobody wants
    E
To go to jail!

Chorus 2   As Chorus 1

Verse 2
        G
All the power's in the hands
     C   G
Of people rich enough to buy it,

While we walk the street
     C   G
Too chicken to even try it.
C
Everybody's doing
    A
Just what they're told to,
C
Nobody wants
    E
To go to jail!

Instrumental | A N.C. | A N.C. | A N.C. | D5 A |

| A D5 | A D5 | A D5 | D5 A |

Chorus 3 As Chorus 1

‖: E | E | E | E   :‖

Chorus 4 As Chorus 1

Why

Words & Music by Roger McGuinn & David Crosby

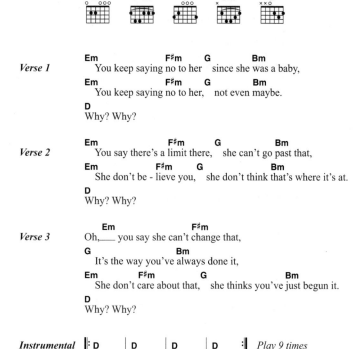

Verse 1
    Em   F♯m   G   Bm
You keep saying no to her   since she was a baby,
    Em   F♯m   G   Bm
You keep saying no to her,   not even maybe.
    D
Why? Why?

Verse 2
    Em   F♯m   G   Bm
You say there's a limit there,   she can't go past that,
    Em   F♯m   G   Bm
She don't be - lieve you,   she don't think that's where it's at.
    D
Why? Why?

Verse 3
    Em   F♯m
Oh,___ you say she can't change that,
G   Bm
It's the way you've always done it,
    Em   F♯m   G   Bm
She don't care about that,   she thinks you've just begun it.
    D
Why? Why?

Instrumental ‖: D | D | D | D   :‖ *Play 9 times*

Verse 4

Em   F#m   G   Bm
You say it's a dead old world,   dull and unforgiving,

Em   F#m   G   Bm
I don't know where you live,   but you're not living.

D
Why? Why?

Verse 5

Em   F#m   G   Bm
You keep saying no to her   since she was a baby,

Em   F#m   G   Bm
You keep saying no to her,   not even maybe.

D
Why? Why?

Outro   ‖: D | D | D | D   :‖   *Play 4 times*

Your Cheatin' Heart

Words & Music by Hank Williams

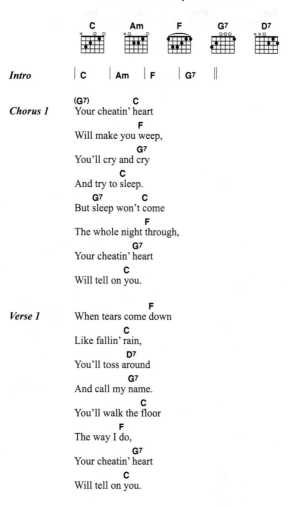

Intro | C | Am | F | G7 ||

Chorus 1

(G7)   C
Your cheatin' heart
            F
Will make you weep,
            G7
You'll cry and cry
            C
And try to sleep.
    G7   C
But sleep won't come
                F
The whole night through,
            G7
Your cheatin' heart
            C
Will tell on you.

Verse 1

                F
When tears come down
            C
Like fallin' rain,
            D7
You'll toss around
            G7
And call my name.
            C
You'll walk the floor
            F
The way I do,
            G7
Your cheatin' heart
            C
Will tell on you.

Chorus 2

      G7   C

Your cheatin' heart

      F

Will pine some day

        G7

And crave the love

     C

You threw away.

      G7   C

The time will come

      F

When you'll be blue,

      G7

Your cheatin' heart

     C

Will tell on you.

Verse 2

         F

When tears come down

     C

Like fallin' rain,

     D7

You'll toss around

      G7

And call my name.

       C

You'll walk the floor

      F

The way I do,

      G7

Your cheatin' heart

     C

Will tell on you.

Available from all good music shops.
In case of difficulty please contact
Music Sales Limited
Newmarket Road Bury St Edmunds
Suffolk, IP33 3YB, UK
123456789

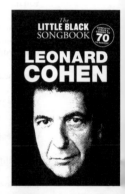
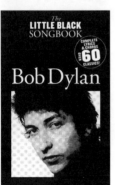
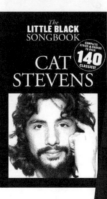